Cet ouvrage accompagne l'exposition « Delacroix. Des fleurs en hiver. Othoniel, Creten »,
présentée à Paris, au Musée national Eugène-Delacroix, du 12 décembre 2012 au 18 mars 2013.

Cette exposition bénéficie du soutien de Kinoshita Holdings Co., Ltd.

KINOSHITA

Prêteurs

Édimbourg, The Scottish National Gallery
Grenoble, musée de Grenoble
Hong Kong & Paris, Galerie Perrotin
Lille, Palais des Beaux-Arts
Montauban, musée Ingres
New York, Jill Newhouse Gallery
New York, The Metropolitan Museum of Art
Paris, collection Prat
Paris, musée du Louvre, département des Arts graphiques
Vienne, Österreichische Galerie Belvedere
Zurich, Kunsthaus

Commissaire de l'exposition

Christophe Leribault

Auteurs du catalogue

Stéphane Guégan
Conservateur au musée d'Orsay

Michèle Hannoosh
Professeur à l'Université du Michigan, département des langues et littératures romanes

Christophe Leribault
Directeur du Petit Palais, musée des Beaux-Arts de la Ville de Paris

www.louvre.fr
www.lepassage-editions.fr

ISBN musée du Louvre : 978-2-35031-416-7
ISBN Le Passage : 978-2-84742-199-6

Dépôt légal : décembre 2012

Delacroix

Othoniel, Creten

Des fleurs en hiver

Musée du Louvre

Henri Loyrette
Président-directeur

Hervé Barbaret
Administrateur général

Claudia Ferrazzi
Administratrice générale adjointe

Juliette Armand
Directrice de la Production
culturelle

Dominique de Font-Réaulx
Directrice
du musée Eugène-Delacroix

Exposition

Musée du Louvre
Direction de la Production
culturelle

Soraya Karkache
Chef du service des Expositions

Juliette Ballif
Chargée de l'exposition

Direction Architecture,
Muséographie, Technique

Sophie Lemonnier
Directrice

Michel Antonpietri
Directeur adjoint

Clio Karageorghis
Chef du service Architecture,
Muséographie et Signalétique

Muriel Suir
Scénographie

Frédéric Poincelet
Graphisme

Carol Manzano
et Stéphanie de Vomécourt
Coordination, service Architecture,
Muséographie et Signalétique

Hervé Jarousseau
Chef du service des Travaux
muséographiques

Michel Cugnet et Robert Font
Coordination, service des Travaux
muséographiques

Sébastien Née
Chef de l'atelier Éclairage, service
Électricité Éclairage

Édition

Musée du Louvre
Direction de la Production
culturelle

Violaine Bouvet-Lanselle
Chef du service des Éditions

Catherine Dupont
Suivi éditorial

Virginie Fabre
Collecte de l'iconographie

Le Passage

Marike Gauthier
Directrice

Yann Briand
Suivi éditorial

Irène Colas
Correction

tato
Graphisme

Delacroix
Othoniel, Creten
Des fleurs en hiver

Sous la direction de Christophe Leribault

Textes de Stéphane Guégan,
Michèle Hannoosh et Christophe Leribault

Entretiens avec Johan Creten et Jean-Michel Othoniel

Préface

Sous le titre paradoxal « Des fleurs en hiver », le musée Delacroix célèbre l'achèvement de la rénovation de son jardin par une exposition en forme de feu d'artifice. C'est en effet la première fois que sont rassemblés les principaux tableaux de fleurs de l'artiste et ses plus belles aquarelles. Plus connu pour ses œuvres à sujets romanesques ou orientaux, Delacroix n'a pas négligé ce genre qui, pour traditionnel qu'il soit, lui a permis d'expérimenter la voie de la dilution de la forme dans l'explosion de la couleur.

Ainsi, contre toute attente, au lendemain de la révolution de 1848, Delacroix pensa consacrer exclusivement à ce thème ses livraisons au Salon. De Courbet à Monet ou Cézanne, le sujet n'a cessé de hanter depuis les créateurs de la modernité, bien au-delà du cercle des peintres de fleurs dont le héraut, Fantin-Latour, célébré ici même l'an passé, s'était placé sous la protection de l'illustre maître. Partant de ce constat, l'exposition propose en parallèle un dialogue avec les œuvres de deux artistes de renom de notre nouveau siècle, Jean-Michel Othoniel et Johan Creten, qui ont répondu par des créations inédites à cette invitation.

À ces deux artistes qui se sont pris au jeu, aux spécialistes du romantisme et de Delacroix que sont Michèle Hannoosh et Stéphane Guégan, qui ont bien voulu apporter leurs riches contributions au catalogue, il convient de joindre à nos plus vifs remerciements la Galerie Perrotin pour son concours à la réalisation de l'exposition et, à la place d'honneur, M. Naoya Kinoshita. C'est, en effet, grâce au mécénat de

1. Eugène Delacroix, *Bouquet de fleurs dans un vase de grès*, 1847.
Huile sur toile ; 64,5 x 54 cm. Le Caire, musée Guézireh.

son entreprise, Kinoshita Holdings Co., Ltd., que la délicate rénovation du jardin du musée a pu être entièrement conduite cet automne, sous la direction de Pierre Bonnaure. Et c'est encore à cette aide généreuse que l'exposition doit une partie des œuvres venues des destinations les plus lointaines. C'est là un digne et particulièrement émouvant hommage venant d'un pays, le Japon, passé maître dans l'art du jardin et du bouquet.
Séduites par le projet de présenter ensemble ces œuvres dans l'atelier même de l'artiste ouvrant sur son jardin reconstitué, nombre d'institutions ont accepté, à titre exceptionnel, de nous confier des tableaux et des aquarelles qui n'avaient pas voyagé depuis des décennies. Qu'en soient chaleureusement remerciés, en Autriche, l'Österreichische Galerie Belvedere de Vienne ; aux États-Unis, le Metropolitan Museum de New York ; au Royaume-Uni, la Scottish National Gallery d'Édimbourg ; en Suisse, le Kunsthaus de Zurich ; en France, le musée de Grenoble, le Palais des Beaux-Arts de Lille, le musée Ingres à Montauban, sans oublier le département des Arts graphiques du musée du Louvre, ainsi que Louis-Antoine et Véronique Prat, Jill Newhouse et les collectionneurs qui ont préféré garder l'anonymat.
Enfin, ce quatrième volume de la série des catalogues lancée avec *Delacroix et la photographie* est le dernier placé sous la responsabilité de son initiateur, Christophe Leribault, qui signe ainsi son départ du musée Eugène-Delacroix et du département des Arts graphiques du musée du Louvre pour la direction du Petit Palais, musée des Beaux-Arts de la Ville de Paris. Nous ne doutons pas du succès de cette nouvelle manifestation, à la fois belle et originale, et nous nous félicitons que son successeur, Dominique de Font-Réaulx reçoive la responsabilité d'un musée qui a trouvé ces dernières années une dynamique inégalée qu'elle aura pour mission de prolonger. Puissent ces fleurs d'hiver inaugurer une grande année 2013 qui sera celle du cent cinquantième anniversaire de la mort de Delacroix rue de Furstenberg, et celle de l'achèvement de l'extension du musée au rez-de-chaussée côté cour, comme 2012 s'achève côté jardin.

Henri Loyrette
Président-directeur du musée du Louvre

En apportant son concours à l'exposition « Delacroix. Des fleurs en hiver. Othoniel, Creten », organisée au musée Eugène-Delacroix, qui est rattaché au musée du Louvre, le groupe KINOSHITA (Kinoshita Holdings Co., Ltd.) renforce encore les liens, très nombreux, qui l'unissent au Louvre.

Dans un passé récent, Kinoshita Holdings Co., Ltd. a déjà contribué à l'exposition « Les révolutions de l'âge classique. La peinture européenne du XVIIe siècle dans les collections du musée du Louvre », qui a eu lieu au Japon en 2009. En 2011, le groupe s'associait à la création d'une base de données sur la peinture française et flamande du XVIe siècle, ainsi qu'au lancement de la rénovation du jardin du musée Eugène-Delacroix. En 2012, il a collaboré à l'exposition itinérante du musée du Louvre, « Rencontres, le groupe dans les collections du Louvre », organisée dans trois villes de la région de Tohoku sinistrées par le grand tremblement de terre de l'est du Japon.

Aujourd'hui, le thème de l'exposition, qui marque ainsi l'achèvement de la rénovation du jardin, nous tient particulièrement à cœur, avec ces splendides tableaux et aquarelles de fleurs peints par Delacroix provenant de grandes collections européennes et américaines. Le maître du romantisme français se trouve de plus accompagné ici par deux célèbres artistes contemporains, Jean-Michel Othoniel et Johan Creten dont les œuvres témoignent d'un rapport inspiré et constant à la nature.

Après la rénovation du jardin, le soutien apporté à cette exposition marque le prolongement d'un partenariat avec le musée Eugène-Delacroix, institution qui se distingue par son exigence scientifique et la qualité de ses collections. Il souligne ainsi le souhait qui est le nôtre d'apporter une contribution à la préservation du patrimoine artistique mondial.

Cherchant à être toujours au plus près de nos clients, nous sommes heureux de leur procurer non seulement des biens matériels, mais aussi, de partager ensemble nos valeurs culturelles traditionnelles, tout en les intégrant à un environnement harmonieux issu des créations d'une culture nouvelle. En d'autres termes, nous sommes convaincus que notre mission est de rapprocher harmonieusement culture et prospérité, avec le souci de transmettre aux générations futures la diversité de notre patrimoine culturel et environnemental.
C'est d'ailleurs pour cette raison que notre mécénat s'étend au soutien d'activités culturelles très variées, qui s'étend aussi aux manifestations théâtrales et musicales.

Enfin, très significative sur le plan culturel, notre collaboration ne peut que renforcer les liens étroits qui existent déjà entre le musée du Louvre et le Japon.

Nous espérons de tout cœur que les visiteurs sauront trouver, en découvrant la beauté des œuvres présentées ici, des forces nouvelles pour une vie meilleure.

Naoya Kinoshita
President & Group Chief Executive Officer
KINOSHITA HOLDINGS CO., LTD.

2. Eugène Delacroix, *Fuchsias en pot*.
Aquarelle sur traits de graphite ; 30 x 19 cm.
Genève, collection Jean Bonna.

Sommaire

3. Eugène Delacroix, *Étude d'anémones*, vers 1845-1850 (détail).
Aquarelle sur traits de graphite ; 20,9 x 16,4 cm. Collection privée.

Introduction

Christophe Leribault

Siècle du triomphe de l'industrie, du charbon et du chemin de fer, le XIXe siècle a cultivé tout comme nous la nostalgie de la nature. Ce n'est pas le moindre paradoxe de la carrière de Delacroix, que l'auteur de l'icône absolue du combat révolutionnaire – *Le 28 juillet 1830. La Liberté guidant le Peuple* – ait voulu présenter au Salon de 1849, au lendemain d'une nouvelle révolution, cinq tableaux de fleurs.
Habitué du parc du château de Nohant où l'invitait George Sand et où il situa l'*Éducation de la Vierge* destinée initialement à l'église du village berrichon, l'artiste acquit ensuite une maison dans le village de Champrosay pour s'y reposer seul, dans le calme de son jardin, et se promener en forêt de Sénart. C'est aussi la perspective de jouir d'un jardin privé qui incita Delacroix à s'installer dans l'appartement de la rue de Furstenberg en 1857. À l'occasion de la rénovation de cet enclos secret, niché au cœur de l'îlot où le peintre bâtit son atelier, il a semblé opportun d'y rassembler pour la première fois les principaux tableaux de fleurs de l'artiste. Si le retard des travaux a contribué à repousser le projet à l'hiver, c'est aussi une manière de souligner qu'il ne s'agit pas d'une production de pure imitation alimentée par la passion de la botanique : l'ambition de l'artiste était d'ordre plus esthétique que descriptive. D'ailleurs, au-delà de l'enthousiasme d'un Théophile Gautier, la critique moderne n'a pas toujours été entièrement convaincue par ces explosions de couleurs peu ordonnées, que l'artiste peignit plutôt pour lui ou ses amis, qu'il signa et data

ill. 28
ill. 44

4. Jean-Michel Othoniel, *Nœud miroir, rouge et noir*, 2012.
Verre miroité, inox ; 70 x 40 x 70 cm. Collection privée.

rarement, qu'il exposa peu et que parfois, pris de remords, il fit même décrocher rapidement. Stéphane Guégan analyse plus loin cette question de la réception ambivalente de ces œuvres, tandis que Michèle Hannoosh développe la force de la relation de l'artiste avec la nature, cristallisée un temps dans ces quelques bouquets, mais dont l'ultime manifestation reste l'immense arbre qui domine la *Lutte de Jacob avec l'Ange* aux murs de Saint-Sulpice.

ill. 37

Bien qu'elles soient reproduites et souvent citées dans le catalogue, manquent à l'appel dans l'exposition, pour des raisons de conservation, les deux grandes toiles présentées au Salon de 1849 que sont la *Corbeille de fruits dans un jardin de fleurs* du musée de Philadelphie et la *Corbeille de fleurs renversée dans un parc* du Metropolitan Museum of Art de New York. Ce dernier nous a heureusement confié son étrange pastel préparatoire, évoquant la torsion du bois mort étreint par du liseron, vision évocatrice des tensions qui animèrent Delacroix dans son approche du sujet. La contingence des prêts nous conduit finalement à présenter moins les grands morceaux d'apparat, où Delacroix tente, bien qu'il s'en soit défendu[1], de se fondre dans la grande tradition d'opulence des bouquets du XVIIe siècle, que ses créations plus intimes et convaincantes, tels l'éblouissant bouquet sans accessoire du Palais des Beaux-Arts de Lille ou celui du Belvedere de Vienne, peint avec une grande liberté de touches pour George Sand, chez elle, probablement en 1843, à partir de fleurs toutes simples. Un passage du *Journal* montre Delacroix à Champrosay quittant son atelier où il butte sur la façon d'esquisser un *Samson et Dalila* pour s'évader en forêt : « Je me suis mis en tête de faire un bouquet de fleurs des champs que j'ai formé à travers les halliers, au grand détriment de mes doigts et de mes habits écorchés par les épines[2]. » Ces œuvres vibrantes touchèrent des générations d'artistes dont certains, comme Degas ou Cézanne, allèrent jusqu'à en acquérir de magnifiques spécimens pour leur propre contemplation. Si le grand bouquet strident de Delacroix du musée Ingres y sert probablement un peu de repoussoir tant sa technique rapide détonne face à la palette subtile du maître de Montauban, la toile trouve ici un rapprochement plus prometteur, grâce à la générosité du musée de Grenoble, avec le *Vase de fleurs sur une console*, de taille et de disposition similaires, né du pinceau de Frédéric Bazille en 1868, cinq ans après la mort de Delacroix et l'installation du jeune Montpelliérain si admiratif du maître dans un atelier situé au dernier étage de l'immeuble de la rue de Furstenberg.

ill. 31
ill. 32
ill. 85
ill. 27 et 26
ill. 9 et 12
ill. 5
ill. 6

Ces parallèles illustrant la permanence de l'inspiration florale comme laboratoire de couleurs chez des artistes aux parcours pleinement inscrits dans leur temps, à l'instar de Courbet, Redon ou Chagall, nous ont conduit à prolonger cette présentation par des œuvres de deux artistes actuels qui placent les fleurs au cœur de leur inspiration. Le premier, Jean-Michel Othoniel, le créateur du *Kiosque des noctambules* à l'entrée du métro Palais-Royal et dont la rétrospective au Centre Pompidou et au Brooklyn Museum a rencontré un vif succès, vient de recevoir la commande prometteuse du décor mystérieux d'un bosquet du parc du château de Versailles. Le second, Johan Creten, sculpteur dont les créations pour la manufacture de Sèvres comptent parmi les interventions les plus remarquées de ces dernières années dans le domaine de la céramique contemporaine, n'en est pas non plus à sa première confrontation avec des œuvres du passé et des lieux historiques, comme il l'évoque dans l'entretien figurant plus loin. L'un et l'autre ont répondu par des créations inédites à cette invitation. De verre, de bronze, de grès émaillé ou de porcelaine, ces pièces contemporaines ne sont en rien des *transcriptions* de l'œuvre de Delacroix et nous n'avons pas cherché artificiellement à les juxtaposer pied à pied dans la présentation des salles, préférant leur accorder plutôt des espaces distincts au gré du cheminement dans l'appartement, l'atelier et le jardin du vieux maître. Puissent-elles néanmoins illustrer l'éternelle source d'inspiration qu'offre la nature aux artistes de l'âge du gaz de schiste comme au temps du charbon.

1. Lettre de Delacroix à Constant Dutilleux, 6 février 1849 : « J'ai voulu aussi sortir un peu de l'espèce de poncif qui semble condamner tous les peintres de fleurs à faire le même vase avec les mêmes colonnes ou les mêmes draperies fantastiques qui leur servent de fond ou de repoussoir. » *Correspondance*, II, p. 373.
2. 24 juin 1849, *Journal*, I, p. 450.

5. Eugène Delacroix, *Vase de fleurs sur une console*, 1848-1850.
Huile sur toile ; 135 x 102 cm. Montauban, musée Ingres (dépôt du Louvre, MNR 162 ; D. 51.3.2).

6. Frédéric Bazille, *Bouquet de fleurs sur une console*, 1868.
Huile sur toile ; 130 x 97 cm. Grenoble, musée de Grenoble (MG2911).

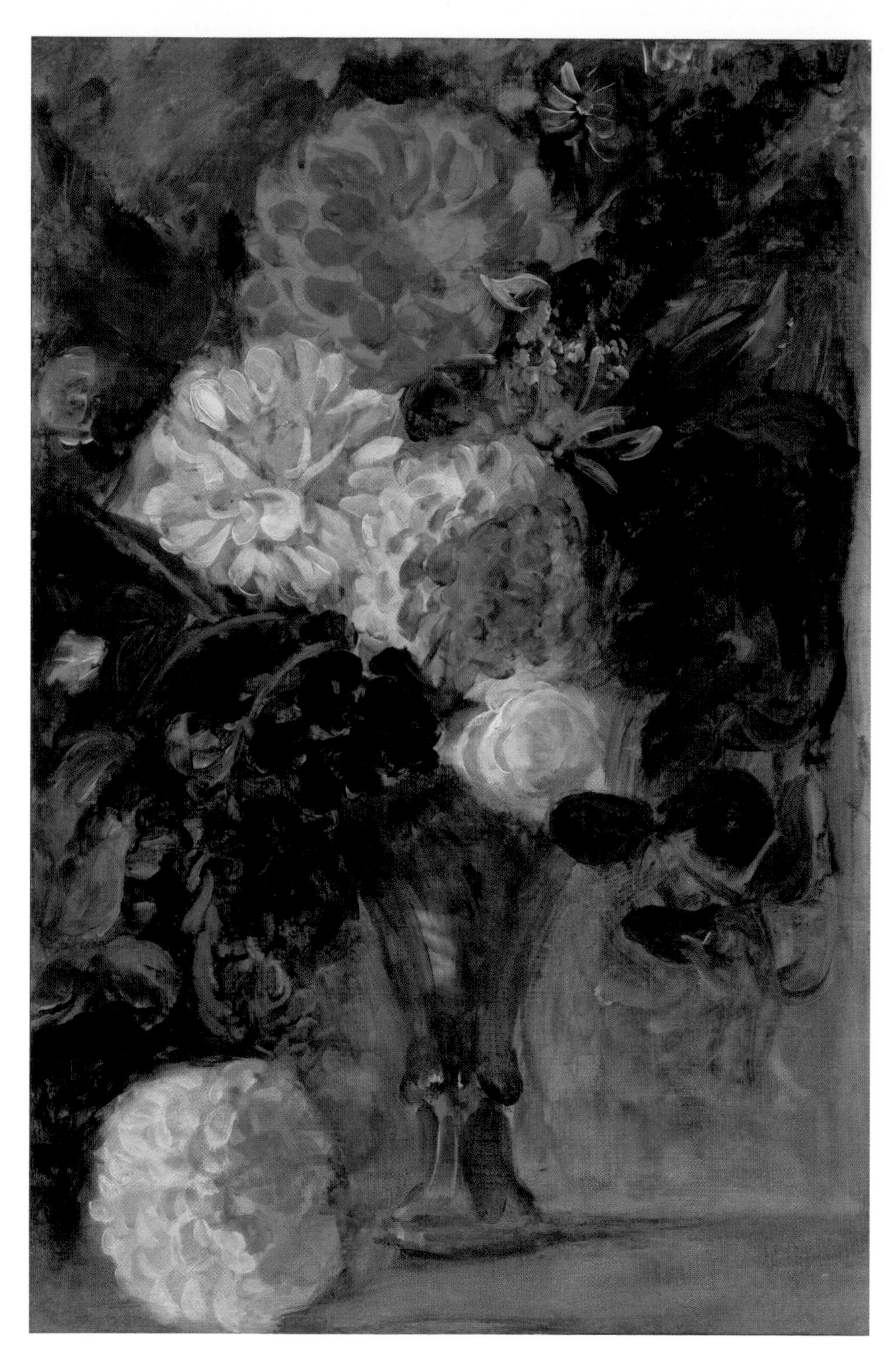

7. Eugène Delacroix, *Dahlias dans un vase*, vers 1833.
Huile sur toile ; 50 x 33 cm. Philadelphie, Philadelphia Museum of Art (John G. Johnson Collection, cat. 976).

8. Paul Gauguin, *Dahlias dans un vase d'après Delacroix*.
Encre, graphite et aquarelle ; 31,5 x 23,2 cm. Paris, musée d'Orsay, fonds d'Arts graphiques (carnet « Noa Noa », RF 7259, f° 1r).

9. Eugène Delacroix, *Bouquet de fleurs*.
Aquarelle, gouache et pastel sur traits de graphite ; 65 x 65,4 cm. Musée du Louvre, département des Arts graphiques (RF 31719).

10. Paul Cézanne, *Bouquet de fleurs d'après Delacroix*, vers 1902.
Huile sur toile ; 77 x 64 cm. Moscou, musée Pouchkine.

Delacroix : le langage des fleurs

Michèle Hannoosh

[...] Delacroix, peintre de grande race, qui avait un soleil dans la tête
et des orages dans le cœur ; qui toucha quarante ans tout le clavier
des passions humaines, et dont le pinceau grandiose,
terrible ou suave passait des saints aux guerriers,
des guerriers aux amants, des amants aux tigres, et des tigres aux fleurs[1].
Théophile Silvestre, *Eugène Delacroix. Documents nouveaux*

On eût dit un cratère de volcan artistement caché par des bouquets de fleurs[2].
Charles Baudelaire, *L'Œuvre et la vie d'Eugène Delacroix*

Hier, j'ai été le voir à minuit. Il était en robe de chambre, le cou enveloppé d'une cravate de laine, dessinant près d'un grand feu qui faisait à la chambre une température de trente degrés. Je lui demandai à voir son atelier aux lumières. Nous passâmes dans un corridor encombré de dahlias, d'agapanthes et de chrysanthèmes ; puis nous entrâmes dans l'atelier. [...] Il y avait quatre toiles étincelantes : deux représentant des fleurs, deux représentant des fruits. Je crus, de loin, que c'étaient des tableaux empruntés par Delacroix à Díaz[3].
Alexandre Dumas, *Mes mémoires*

11. Eugène Delacroix, *Bouquets de fleurs dans deux vases*, vers 1848-1849 (détail, voir ill. 46).
Huile sur carton ; 45 x 59 cm. Brême, Kunsthalle (796-1959/15).

Depuis les premières études, fondamentales, de Silvestre, de Baudelaire et de Dumas, les fleurs ont été une figure clé du discours critique sur Delacroix. Elles ont été une image de choix pour évoquer sa dualité de caractère, comme homme et comme peintre : l'humeur sauvage et la politesse parfaite, la violence de la passion et le charme spirituel de l'homme du monde, le peintre des fauves et celui des fleurs. L'anecdote de Dumas errant dans les corridors remplis de fleurs de l'appartement de Delacroix et débouchant sur des tableaux magnifiques de fleurs et de fruits dont il ne soupçonnait pas l'existence dessine, de manière amusante mais juste, ce caractère complexe du peintre. Au-delà de ces analogies, cependant, les fleurs n'ont pas beaucoup attiré l'attention du public ni des historiens de Delacroix, malgré une œuvre florale importante et une réflexion passionnante dans son *Journal*[4].

Pour ce qui est des tableaux, cette lacune n'est peut-être pas surprenante. On ne sait comment intégrer les tableaux de fleurs dans son œuvre, ni dans les catégories critiques – romantique, pré-impressionniste, moderne – qui lui sont habituellement attribuées. Certes, quelques-uns de ces tableaux témoignent d'une liberté, d'un mouvement, d'un colorisme qui en font cette sorte de « fête pour l'œil » qui leur a attiré un Degas, propriétaire de l'aquarelle *Parterre d'hortensias, agapanthes et anémones*, entre autres ; un Gauguin, qui copia les *Dahlias dans un vase* ayant appartenu à son tuteur Gustave Arosa ; un Cézanne, qui copia la grande aquarelle du musée du Louvre[5]. Mais d'autres, notamment les grands tableaux de fleurs destinés au Salon de 1849, ont un formalisme « archaïsant », une recherche quelque peu affectée qui laisse perplexe. Dans le *Journal*, les réflexions sur les fleurs sont moins nombreuses et moins développées que celles, riches et profondes, qui traitent d'autres éléments de la nature – des arbres ou de la mer, par exemple.

ill. 12
ill. 8 et 7
ill. 10 et 9
ill. 31 et 32

Et pourtant, on peut affirmer que les fleurs occupent une place spéciale et dans l'œuvre et dans la pensée de Delacroix. Dans le *Journal*, elles font partie d'un discours étendu et varié sur la nature, certes, réflexion féconde en idées, avec des conséquences matérielles pour sa peinture. Lors des promenades dans la forêt, dans son jardin, au bord de la Seine, dans des voyages en train ou en voiture, Delacroix observe, dessine et surtout écrit les effets de la nature – montagnes, insectes, oiseaux, arbres, lacs, ciels, mer –, approfondissant, ce faisant, un sens qui ne cesse de l'absorber, découvrant des effets et des lois précédemment ignorés.

Mais les fleurs ont aussi, à l'intérieur de ce discours, une valeur propre. Car à la différence des autres éléments naturels, elles ont le caractère particulier de s'étendre, et de porter au-delà de la vue, au-delà de leur statut d'objet du regard. Elles stimulent les sens, inspirent le sentiment, font renaître le souvenir, figurent la pensée. Elles réalisent par conséquent ce que Delacroix revendiquait pour la peinture elle-même, c'est-à-dire la capacité d'un objet matériel de porter au-delà de soi, de *transporter* :

12. Eugène Delacroix, *Parterre d'hortensias, agapanthes et anémones.*
Aquarelle sur traits de graphite ; 18,7 x 29,6 cm. Musée du Louvre, département des Arts graphiques (RF 4508).

13. Eugène Delacroix, *Étude de marronniers*, 20 mai 1853. Graphite. Amsterdam, Rijksmuseum (n° 346).

« le succès dans les arts n'est point d'abréger mais d'amplifier, s'il se peut, de prolonger la sensation, et par tous les moyens », satisfaisant à « ce besoin de l'homme d'éprouver à la fois le plus d'émotions possible » (20 octobre 1853, I, 696). Dès sa jeunesse Delacroix avait souligné ce pouvoir de la peinture de « remuer l'âme intérieurement » par « les objets qui ne frappent que les sens », et encore plus précisément la vue (8 octobre 1822, I, 90). Comme la peinture elle-même, les fleurs, on le verra, font preuve d'une concentration d'effets, ou d'effets multiples, qui les met à part dans le répertoire des sujets de Delacroix[6].

On a tendance à placer l'intérêt de Delacroix pour les fleurs assez tard dans sa carrière, à partir des années 1840 et de ses séjours réguliers à la campagne : à Nohant chez George Sand, à Frépillon, au nord de Paris, chez ses cousins Riesener, à Champrosay, village au sud de la capitale où il loua une maison dès le mois de juin 1844, et même, à partir de 1857, dans son propre jardin de la place de Furstenberg. C'est bien dans les années 1848-1850 qu'il exécuta les cinq grands tableaux de fleurs qu'il avait conçus en vue du Salon de 1849, ainsi que plusieurs autres, des dessins, des aquarelles et des pastels. Si, dans les années suivantes, Delacroix peignit moins de tableaux de fleurs proprement dits, son intérêt pour les

14. Eugène Delacroix, *Étude de marronniers*, 20 mai 1853. Graphite. Amsterdam, Rijksmuseum (n° 347).

15. Eugène Delacroix, *Étude de tournesols*, 7 octobre 1856.
Graphite ; 18,7 x 11,5 cm. Chicago, Art Institute of Chicago (carnet, inv. 1970.297, f° 23v-24r).

16. Eugène Delacroix, *Étude de chardons*, vers 1822.
Graphite ; 33,2 x 25,8 cm. Brême, Kunsthalle (carnet, inv. 62/453, f° 16).

fleurs n'en diminua pas pour autant, comme en témoignent de nombreux dessins et études, aussi bien que des notes du *Journal*. Au Jardin des Plantes, le 20 mai 1853, il dessine des pêchers, des orangers et des marronniers en fleur, des lilas blancs et violets (I, 661)[7] ; le 11 août 1854, il mentionne un pastel de roses trémières (I, 805)[8] ; le 7 octobre 1856, il dessine des tournesols (I, 1037,)[9] ; en 1860, il met un grand bouquet de fleurs dans un pastel représentant une *Jeune Femme à sa toilette* destiné à son ami Haro[10].

ill. 13 et 14

ill. 15

En fait, son intérêt pour les fleurs traverse toute sa carrière. Ses tableaux de fleurs sont extrêmement difficiles à dater, la plupart ne portant pas de date et aucune preuve documentaire ne permettant d'en établir. Le premier tableau que l'on peut dater avec certitude, c'est le *Vase de fleurs* de la Scottish National Gallery, à Édimbourg, qui porte, en bas à gauche, « 1833 » : or, d'après le catalogue de la vente de Frédéric Villot où figurait ce tableau, il fut suivi de plusieurs autres à la même époque[11]. Déjà dans les années 1820, le jeune peintre d'histoire avait fait preuve d'une curiosité picturale pour les fleurs et les plantes : une étude d'iris figure dans un carnet conservé au Louvre ; un beau bouquet de fleurs dans un vase orne la table du *Milton dictant le Paradis perdu à ses filles*[12] ; un album conservé à la Kunsthalle de Brême contient des études au crayon et à la gouache exécutées avec un soin presque scientifique. L'étude de chardons, par exemple, porte des annotations qui traduisent les observations de Delacroix : « de chaque embranchement il part ord[inairemen]t une fleur » ; ou, à propos de la tige, « la feuille retournée » et « la feuille à l'endroit ». Ce sont comme des planches botaniques : fleurs, feuilles, tiges rendues avec une précision qui leur donne un aspect décoratif, et parfois surnaturel.

ill. 19

ill. 52

ill. 17

ill. 16

Mais pour les fleurs, comme pour tout, le voyage au Maghreb de 1832 fut déterminant : les carnets de Delacroix témoignent de son émerveillement devant la variété et la profusion des fleurs, les vastes étendues qu'elles couvrent et les effets de lumière et de couleur qu'elles produisent : « grandes places jaunes, blanches, violettes de fleurs » (6 avril, I, 231) ; « fleurs sans nombre de mille espèces formant les tapis les plus diaprés » (8 avril, I, 232) ; « plaine à perte de vue, tapis de fleurs blancs, jaune clair, jaune foncé, violets » (10 avril, I, 233) ; « tombeaux au milieu des aloès et des iris (*Egyptiaca*) » (12 février, I, 208) ; « tapis de fleurs dans le voyage de différentes couleurs » (I, 321) ; « délicieux bois d'orangers » couverts de fleurs et de fruits qui « entretiennent une ombre ravissante sous leur feuillage épais et lustré [...] Rien n'est délicieux comme cette profusion de beaux fruits d'or se détachant vivement sur le sombre de la verdure » (I, 294) ; sans parler des jardins des consulats avec leurs arbres et leurs plantes exotiques, des figuiers et des abricotiers dont le feuillage couvrirait quarante personnes, des aloès, des cactus gigantesques, de grands roseaux, des jujubiers (I, 294, 296, 279). Malgré la brièveté de ces notes, on mesure, par une

17. Eugène Delacroix, *Milton dictant le* Paradis perdu *à ses filles*, 1827-1828.
Huile sur toile ; 80,4 x 64,4 cm. Zurich, Kunsthaus (inv. 1988/28).

remarque jetée entre des phrases rapides et inachevées, la profondeur du sentiment qu'éprouve le voyageur entouré de cette végétation riche et abondante : « Au milieu de ces vastes plaines remplies de fleurs et d'herbes qui s'exhalaient sous les pieds de nos chevaux, on se sent un autre être, on est un homme. » (I, 320)
Cette force qui fait revivre, qui revitalise le corps et l'esprit de plus en plus affaissés par la vie de la grande ville, Delacroix continuera à la trouver en présence des fleurs, et plus généralement à la campagne, au milieu de la nature, pendant le reste de sa vie. La Seine sépare le royaume de la mécanisation et de la mort de celui de la vie. En arrivant à Champrosay, il note : « je sens que mes chaînes me quittent. Il semble qu'en traversant cette eau, je laisse derrière moi les importuns et les ennuis » (20 mai 1853, I, 661). « Le plaisir d'ouvrir le matin sa fenêtre sur la plus agréable vue du monde, rafraîchie par les pleurs de la nuit, et de respirer un air différent de celui que nous font la boue et les ordures de Paris, tout cela fait vivre et ranime l'esprit aussi bien que le corps » (15 avril 1854, I, 752)[13]. La campagne dissout la dure écorce de l'humeur et de la réserve misanthropiques : « Je me fonds devant cette nature paisible » (5 juin 1855, I, 903). Mais comme on le voit, derrière ce plaisir, ce bonheur, cet enchantement transparaît un fond sombre qui s'étend de la mélancolie à l'amertume, et jusqu'à l'angoisse.
C'est certainement le cas en 1849, au milieu de l'exécution des grands tableaux de fleurs commencés le mois de septembre précédent. Causant, lors d'une soirée, avec Marie Mennessier, fille de Charles Nodier, Delacroix note : « Elle doit venir voir mes *Fleurs*. Elle est atteinte de noirs, comme moi ; je vois que je ne suis pas le seul. L'âge y est pour quelque chose » (26 février 1849, I, 423). Humeur noire qui, comme l'a bien montré T.J. Clark, a hanté Delacroix pendant toute la période de la IIe République et qui a atteint son sommet dans la « crise » de mai 1850, dans laquelle les écrits et les tableaux expriment une violence commune, à travers des métaphores et des images partagées[14]. L'on trouve cette humeur noire même avant, dans les années turbulentes qui précèdent la révolution : en 1847 la politique, les mœurs du temps, les idées « modernes » (progrès, matérialisme, socialisme), sans parler de la santé, occasionnent chez Delacroix un pessimisme extrême[15]. La raison de ce pessimisme importe peu, comme l'avoue une note quelque peu ironique du 5 février 1847 : « Aujourd'hui ce sont les affaires publiques qui en sont cause. Un autre jour, ce sera pour un autre sujet. Ne faut-il pas toujours combattre une idée amère ? » (I, 417)
En effet, la portée de cet ennui couvre un canevas large. Une note de 1846 en résume l'idée générale – la Nature donne l'image de la misère de la condition humaine, de la réalité de la mort :

> « La matière retombe toujours dans la tristesse : le murmure des vents et de la mer, la longue nuit avec ses terreurs et son silence, le coucher du soleil avec sa mélancolie, la solitude où qu'on la rencontre, rappellent des idées noires, des appréhensions de néant, de destruction. [...] Toute cette nature porte un fardeau et semble attendre qu'on la soulage. Tout le monde semble dans l'attente d'une sorte de bonheur sans doute ; mais l'Être des êtres ne montre presque jamais à ses tristes créatures que le côté irrité de son visage. L'embûche, la menace est partout. [...] Le sommeil lui-même ne donne pas un repos complet : l'homme n'y oublie pas sa misère ; au contraire, elle y grandit souvent, et l'excès de sa frayeur à l'aspect d'apparitions ou de dangers effroyables ou inconnus l'éveille souvent glacé de terreur, et ne le tire de ces terreurs imaginaires que pour le remettre en face de la funeste et réelle image de sa situation mortelle. » (« petit cahier de Champrosay », II, 1671)

Des réflexions sur la stérilité, sur la futilité des connaissances, des théories abstraites et des désirs, ou sur la nécessité de la résignation abondent dans le *Journal* de 1847, toujours dans le contexte de la Nature : « Les moralistes, les philosophes, j'entends les véritables tels que Marc-Aurèle, le Christ, n'ont jamais parlé politique. L'égalité des droits et vingt autres chimères ne les ont pas occupés. Ils n'ont recommandé aux hommes que la résignation à la destinée, non pas à cet obscur *fatum* des anciens, mais à cette nécessité éternelle [...] de se soumettre aux arrêts de la sévère nature » (20 février 1847, I, 350). Même idée le 5 septembre (I, 394) : « soumission à la loi de nature, résignation aux douleurs humaines, c'est le dernier mot de toute raison[16] ». Plusieurs années après, la lutte est encore inégale :

> « L'homme domine la nature et en est dominé. Il est le seul qui non seulement lui résiste mais en surmonte les lois, et qui étend son empire par sa volonté et son activité. Mais que la Création ait été faite pour lui, c'est une question qui est loin d'être évidente. Tout ce qu'il édifie est éphémère comme lui : le temps renverse les édifices, comble les canaux, anéantit les connaissances et jusqu'au nom des nations. Où est Carthage, où est Ninive ? » (21 septembre 1854, I, 839-840)

Mais si cette vision sombre persiste, Delacroix en reconnaît en même temps le contrepoids, la splendeur *irrésistible* de la nature, qui le sort de cet état presque malgré lui. Il reviendra sur la note triste du « petit cahier de Champrosay » citée ci-dessus et y ajoutera un renvoi qui en contrebalancera le pessimisme : « Le contraste de tout ceci d'avec la splendeur de la nature, son charme, *Ag[enda] [18]50 9 mai*, cette charmante musique des oiseaux au printemps, etc. » En effet, le 9 mai 1850, accablé

18. Eugène Delacroix, *Étude de bouquet de fleurs.*
Aquarelle et crayons de couleur ; 12 x 19 cm.
Musée du Louvre, département des Arts graphiques (carnet RF 23358-12, f° 6r).

19. Eugène Delacroix, *Vase de fleurs*, 1833.
Huile sur toile ; 57,7 x 48,8 cm. Édimbourg, Scottish National Gallery (NG 24405).

par « la plus affreuse et la plus durable morosité », Delacroix sort de chez lui pour se promener dans la forêt de Sénart où il est frappé par la « charmante musique des oiseaux du printemps. Les fauvettes, les rossignols, les merles si mélancoliques, le coucou dont j'aime le cri à la folie, semblaient s'évertuer pour me distraire » (9 mai 1850, I, 508).

Cette dualité traverse tout le *Journal* des années 1840 et 1850. D'une part, une nature « marâtre » et jalouse, se plaisant à détruire les créations humaines, ou dont nous ne comprenons, dans cette destruction, la raison cachée ; d'autre part une nature qui est une source de connaissances et d'observations nouvelles pour l'artiste, de bonheur et souvent de joie pour l'homme.

> « Il est évident que la nature se soucie très peu que l'homme ait de l'esprit ou non. Le vrai homme est le sauvage ; il s'accorde avec la nature comme elle est. Sitôt que l'homme aiguise son intelligence, augmente ses idées et les manières de les exprimer, acquiert des besoins, la nature le contrarie partout. Il faut qu'il se mette à lui faire violence continuellement. Elle, de son côté, ne demeure pas en reste. S'il suspend un moment le travail qu'il s'est imposé, elle reprend ses droits, elle envahit, elle mine, elle détruit ou défigure son ouvrage ; il semble qu'elle porte impatiemment les chefs-d'œuvre de l'imagination et de la main de l'homme. Qu'importent à la marche des saisons, au cours des astres, des fleuves et des vents le Parthénon, Saint-Pierre de Rome, et tant de miracles de l'art ? Un tremblement de terre, la lave d'un volcan vont en faire justice ; les oiseaux nicheront dans ces ruines ; les bêtes sauvages iront tirer les os des fondateurs de leurs tombeaux entrouverts. Mais l'homme lui-même, quand il s'abandonne à l'instinct sauvage qui est le fond même de sa nature, ne conspire-t-il pas avec les éléments pour détruire les beaux ouvrages ? La barbarie ne vient-elle pas presque périodiquement, et semblable à la Furie qui attend Sisyphe roulant sa pierre au haut de la montagne, pour renverser et confondre, pour faire la nuit après une trop vive lumière[17] ? » (1er mai 1850, I, 504)

Cette explosion, dans laquelle les effets du désordre révolutionnaire se font sentir, fait contraste avec des moments de ravissement devant la nature, la « vue enchanteresse » (2 mai 1850, I, 507), la « délicieuse promenade [...] par le plus beau temps du monde » (3 mai 1850, I, 505), le soleil et la vue des champs qui le sortent d'une « tristesse mortelle » et le « mettent au ciel » (8 mai 1850, I, 507-508). Lors d'une visite à un parc voisin, la vue des fleurs spectaculaires transforme une « corvée » redoutée en découverte, et une « matinée sans entrain » en séance de travail productif :

> « J'ai beaucoup joui de cette promenade [...] J'ai vu dans ce trajet deux ou trois magnolias, dont un ou deux sur la fin de sa floraison. Je n'avais pas d'idée de ce spectacle ; cette profusion vraiment prodigieuse de fleurs énormes sur cet arbre dont les feuilles ne font que commencer à poindre, l'odeur délicieuse, une jonchée incroyable de pétales des fleurs déjà passées m'ont arrêté et charmé. Il y avait devant la serre des rhododendrons rouges et un camélia d'une taille extraordinaire. [...] La vue du paysage au pont et en grimpant charmante, à cause de la verdure printanière et des effets d'ombres que les nuages faisaient passer sur tout cela. J'ai fait, en rentrant, une espèce de pastel de l'effet du soleil en vue de mon plafond. » (8 mai 1850, I, 507)

Odeur délicieuse, vue charmante : le plaisir irrésistible occasionné par la nature est bien matériel et sensuel. Le peintre se plaît à cueillir des fleurs dans les halliers ou à se baigner dans la rivière pour ramasser des nénuphars, s'enfonçant dans la matière, s'écorchant les doigts et les habits sur les épines, pataugeant « sur les bords glaiseux de la rivière [...] avec délices », dans une « débauche » qui lui rappelle son enfance[18]. Dans cette sensualité, les fleurs occupent une place à part, donnant au peintre une expérience matérielle non seulement visuelle mais *synesthésique* – lumière, sons et odeurs se réunissent dans une plénitude où il ne peut dissocier les sens individuels, vue, ouïe, odorat :

> « Le soir, clair de lune ravissant dans mon petit jardin. Resté à me promener très tard. Je ne pouvais assez jouir de cette douce lumière sur ces saules, du bruit de la petite fontaine et de l'odeur délicieuse des plantes qui semblent, à cette heure, livrer tous leurs trésors cachés. » (23 mai 1850, I, 513)

La fin de cette phrase, biffée sur le manuscrit, révèle l'intensité sensuelle de ce sentiment : « comme une femme adorée de son amant ». Cette expérience de délices synesthésiques liés aux fleurs se répète d'année en année : « Le soir, chez M. et Mme Beck, et revenu par un clair de lune délicieux. Les exhalaisons des plantes sont en ce moment de la saison, et à cette heure-là, d'un charme enivrant » (23 mai 1853, I, 666). Le langage traduit ce sentiment par des mots et des phrases récurrents : il est « ravi », « enchanté » (7 octobre 1853, I, 681 ; 17 septembre 1855, I, 944), le plaisir et les impressions qu'il éprouve sont « délicieux », « doux » (6 juin 1853, I, 671 ; 12 septembre 1855, I, 941 ; 6 octobre 1856, I, 1037), il sent l'impossibilité de « s'en arracher » (29 mai, I, 668 ; 6 juin, I, 671 ; 27 octobre 1853, I, 682), de s'en éloigner (7 juin 1853, I, 672). Mais le propre de cette expérience, c'est l'échec du langage même : l'attrait, le charme de la nature est « inexprimable » (17 septembre 1855, I, 944), il n'y a « point

20. Eugène Delacroix, *Quatre études de branches de lys.*
Graphite ; 19,5 x 28,5 cm.
Musée du Louvre, département des Arts graphiques (RF 9802).

21. Eugène Delacroix, *Deux études d'iris.*
Graphite ; 19,4 x 9 cm.
Musée du Louvre, département des Arts graphiques (RF 9814).

ML

E.D
ML

R.F.1870
09803

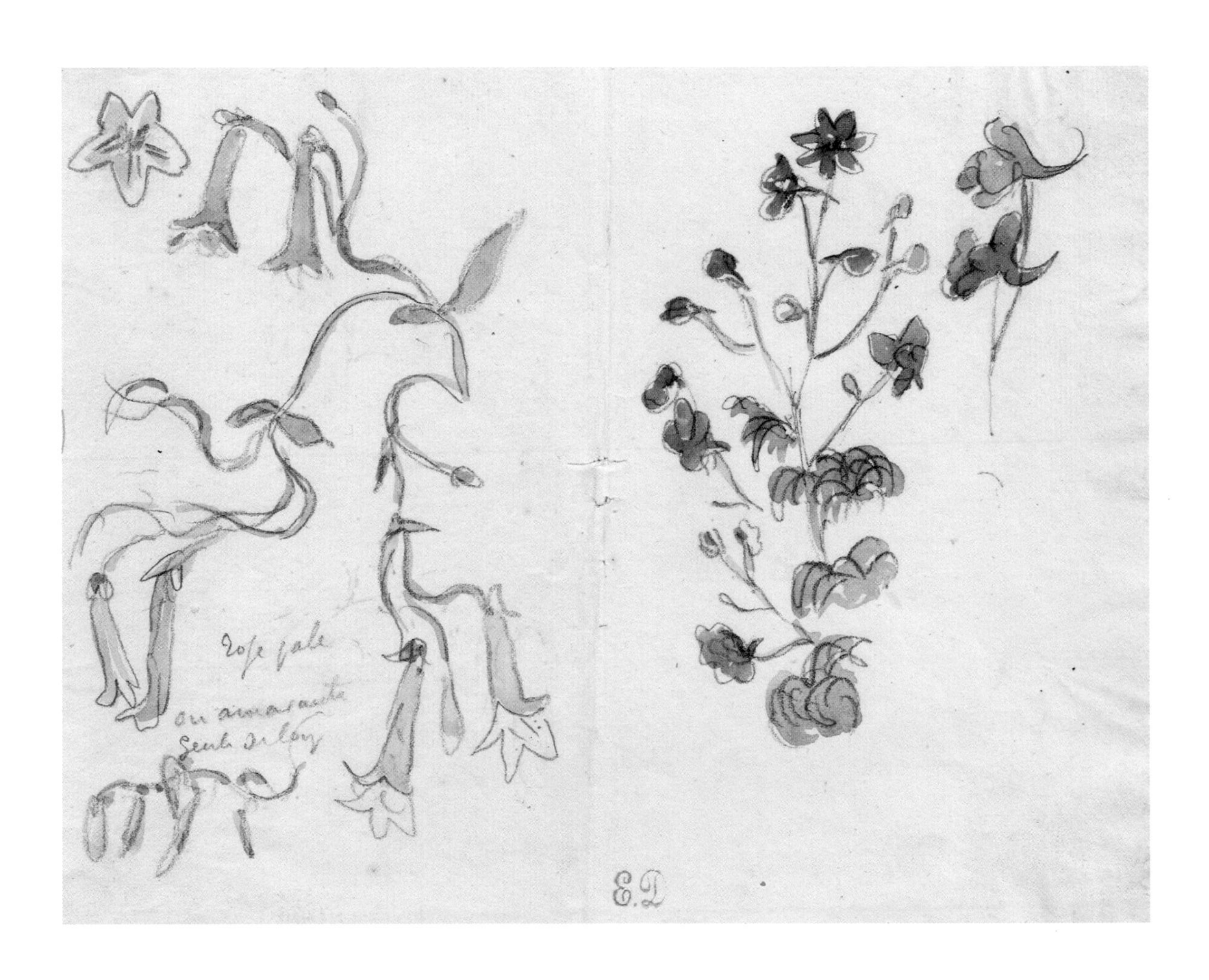

22. et **23.** Eugène Delacroix,
Étude de fleurs avec une branche de fuchsias.
Aquarelle sur traits de graphite ; 15 x 19,6 cm.
Musée du Louvre, département des Arts graphiques
(RF 9803, recto et verso).

24. Eugène Delacroix, *Étude de fleurs.*
Aquarelle sur traits de graphite ; 15,5 x 19,8 cm.
Collection privée.

de description pour de si douces pensées » (27 octobre 1853, I, 701). La peinture sera-t-elle à la hauteur de la tâche?

*

Qui n'a connu ces admirables heures, véritables fêtes du cerveau, [...] où les couleurs parlent, où les parfums racontent des mondes d'idées?

Baudelaire, *Exposition universelle de 1855*[19]

Comme dans les correspondances baudelairiennes, où « les couleurs parlent », les parfums « racontent des mondes d'idées » et « chantent les transports de l'esprit et les sens[20] », la puissance de ce plaisir matériel et synesthésique vient de ce qu'il est aussi *spirituel* : la fraîcheur du soir et le chant du rossignol, ajoutés à l'odeur des plantes, « sont pour l'âme un de ces festins spirituels auxquels l'imparfaite Création la convie rarement » (27 avril 1854, I, 758). Le « contentement particulier, ravissant » que la nature lui inspire est « une poésie en action » (21 octobre 1856, I, 1041). Ce plaisir est en particulier *mnémonique*, évoquant des souvenirs d'une manière presque proustienne :

> « Revenu vers dix heures ; la pluie donnait à toute cette verdure toute fraîche[ment] sortie une odeur délicieuse ; les étoiles brillantes, mais surtout ces odeurs ! Vers le potager de Gibert, jusqu'à celui de Quantinet, une odeur de ma jeunesse, si pénétrante, si délicieuse, que je ne peux la comparer à rien. Je suis passé et repassé cinq ou six fois : je ne pouvais m'en arracher. Il m'a rappelé l'odeur de certaines petites plantes de potager que je voyais à Angerville, dans le jardin de M. Castillon le père, qui portent une espèce de fruit qui fait explosion dans la main. » (29 mai 1853, I, 668)

L'odeur des fleurs et des plantes, c'est la jeunesse, mais encore le *paradis*, retrouvés :

> « En ouvrant la fenêtre de l'atelier le matin, toujours avec ce même temps brumeux, je suis comme enivré de l'odeur qui s'exhale de toute cette verdure trempée de gouttes de pluie et de toutes ces fleurs courbées et ravagées, mais belles encore. De quels plaisirs n'est pas privé le citadin, le cancre d'employé ou d'avocat, qui ne respire que l'odeur des paperasses ou de la boue de l'infâme Paris ! Quelles compensations pour le paysan, pour l'homme des champs ! Quel parfum que celui de cette terre mouillée, de ces arbres ! Cette forte odeur des bois, qu'elle est pénétrante, et qu'elle réveille aussitôt des souvenirs gracieux et purs, souvenirs du

premier âge et des sentiments qui tiennent au fond de l'âme ! Ô chers endroits où je vous ai vus, chers objets que je ne dois plus revoir, chers événements qui m'avez enchanté et qui êtes évanouis… Que de fois cette vue de la verdure et cette délicieuse odeur des bois ont réveillé ces souvenirs qui sont l'asile, le saint des saints où on se réfugie, si on peut, sur les ailes de l'âme, pour se tirer du souci de chaque jour. Cette affection qui me console et, seule, me donne ces mouvements du cœur comme autrefois, combien de temps le sort me les laissera-t-il ? » (1er juin 1853, I, 670)

Ces « souvenirs du premier âge et des sentiments qui tiennent au fond de l'âme » relèvent du domaine du mythe[21]. Malgré la méfiance de Delacroix à l'égard du romantisme, le langage ici perd de sa réserve et de sa mesure habituelles et atteint un lyrisme dont la force se traduit par le dérèglement et la répétition exclamatifs : « Quelles… », « Quel… », « Que de fois », « Ô chers endroits […], chers objets […], chers événements ». Encore une fois, l'âme défaillante est ranimée, sauvée des mains de la mort, les mouvements du cœur sont « comme autrefois » – sursis temporaire, comme l'indique la question finale, mais tout de même consolant en ce qu'il accorde au peintre des moments de bonheur. L'odeur libère le souvenir emprisonné comme le font le goût de la madeleine et le son de la petite phrase de Vinteuil chez Proust, ou le « Lazare odorant » du « Flacon » de Baudelaire[22]. Ce souvenir est à la fois nostalgie (asile, refuge, consolation) et moyen de renouvellement immédiat, tirant Delacroix du « souci de chaque jour » et lui rajeunissant les émotions. Captivé par cette scène, il y retourne la semaine suivante :

« Le soir, en revenant, les étoiles, qui n'avaient pas paru depuis quelques jours, ont brillé de tout leur éclat. Quel spectacle, au-dessus de ces masses noires que forment les arbres, ou aperçues à travers les branches ! J'ai été au jardin de Gibert, et j'ai retrouvé la même odeur divine qui m'avait déjà charmé, mais un peu affaiblie. Je m'en suis éloigné avec peine. » (7 juin 1853, I, 672)

L'affaiblissement du parfum n'en montre que trop la finitude : « Cette appréhension de la rapidité et du néant, à la fin, gâte toute jouissance » (*ibid.*). N'empêche que, dans une liste de fleurs dressée en 1857 pour les demander au jardinier, les odoriférantes dominent : seringas, chèvrefeuille, jacinthes, narcisses, belles-de-nuit (30 novembre 1857, I, 1208)[23]. Delacroix ne manque pas de se faire une petite provision de souvenirs et d'enchantement, moyen de remettre la mort sinon de la renvoyer définitivement.

25. Eugène Delacroix,
Étude d'asters et balsamine.
Huile sur toile ; 73,5 x 92,5 cm.
Zurich, Kunsthaus (Inv. 2298).

*

« Il n'y a que l'homme qui fasse des choses sans unité. La nature trouve le secret de mettre de l'unité même dans les parties détachées d'un tout. » (22 mars 1857, I, 1130)
« Cette inépuisable variété de la nature, toujours conséquente à elle-même mais toujours diverse [...] » (12 avril 1860, II, 1344)

Encore semblable aux correspondances baudelairiennes, la synesthésie constitue, pour Delacroix, une sorte d'unité dans la nature : un sens en appelle d'autres, et rejoint l'esprit, le sentiment, la mémoire, la pensée. En effet, l'unité de la nature préoccupe le peintre précisément au moment où il exécute les grands tableaux de fleurs en 1848-1850. Dans le *Journal* du 5 août 1854, il recopie une longue note sur l'unité de la nature qu'il tire d'un carnet ancien. Puis il ajoute :

« (Dans le même calepin et à la suite sont des observations sur certains phénomènes qui se répètent dans des objets entièrement différents, tels que les dessins que creuse la mer dans le sable et qui rappellent la rayure des tigres. [...] Ce livret est celui sur lequel j'ai fait des fleurs à Champrosay en [18]48 et [18]49. Il est couvert en rouge.) » (I, 804)

C'est bien dans le cadre de l'exécution des grands tableaux de fleurs que Delacroix développe l'idée d'un autre type d'unité dans la nature : avec la synesthésie, la répétition des formes de l'échelle microcosmique à l'échelle macrocosmique, entre les parties détachées et le tout, ou entre des espèces entièrement différentes. Le « carnet rouge de Champrosay » auquel il fait allusion ici contient des dessins exécutés en vue des grands tableaux de fleurs, et des réflexions sur cette unité qu'il observe et apprécie de plus en plus, lui inspirant quelques-unes de ses plus belles pages. S'il y a coïncidence, elle est tout de même très à propos :

ill. 33

« Dimanche 16 [septem]bre 1849, dans la forêt à Champrosay. 3 h[eu]res
– La nature est singulièrement conséquente à elle-même. Je me rappelle avoir dessiné à Trouville des fragments de rochers au bord de la mer, dont tous les accidents étaient proportionnés de manière à donner sur le papier l'idée d'une falaise immense. Il ne manquait qu'un objet propre à établir l'échelle de grandeur. Dans cet instant j'écris à côté d'une grande fourmilière, formée au pied d'un arbre moitié par des petits accidents de terrain, moitié par les travaux patients des fourmis : ce sont des talus, des parties qui surplombent et forment de petits défilés, dans lesquels passent et repassent les habitantes d'un air affairé et semblables à un

petit peuple d'un petit pays que l'imagination grandit à l'instant même. Ce qui ne m'eût paru qu'une taupinière, je le vois à volonté comme une vaste étendue entrecoupée de rocs escarpés, de pentes rapides, grâce à la taille diminuée de ses habitants. Un fragment de charbon de terre ou de silex ou d'une pierre quelconque pourra présenter, dans une proportion réduite, les formes d'immenses rochers. J'ai remarqué aussi souvent en dessinant des arbres que telle branche séparée est elle-même un petit arbre, n'était la grosseur des feuilles.
Il y a une partie de la science qui, je crois, n'est pas exploitée par les savants et qui serait l'histoire de ces rapports naturels. On ferait aussi une histoire curieuse de certaines formes qui semblent à des yeux inattentifs le produit du hasard, et qui sont non seulement géométriquement combinées, mais qui rappellent à s'y méprendre des formes qui appartiennent à des objets d'une tout autre espèce. Exemple : j'ai vu sur la plage de Tanger, qui est formée d'un sable très fin, que le flot en se retirant y creusait de petits sillons qui se reproduisaient sans cesse tout en variant à chaque marée, et le dessin de ces espèces de petits canaux par où l'eau se retire est, pour ainsi dire, identique à la rayure de la peau des tigres.
Il y a quelques jours, j'ai été frappé, en remontant la route qui va du pont à Champrosay, de petits tas aplatis de bouse de vache qui avaient formé des taches qui m'ont rappelé quelqu'autre dessin dans quelqu'objet analogue, mais qui m'ont laissé persuadé que ces taches doivent se reproduire de la même manière. »

Delacroix découvre dans la nature ce phénomène de la répétition des formes qui, comme la synesthésie, fait l'unité dans la variété et dans la fragmentation : des rochers ressemblent à des falaises ; une taupinière est une vaste étendue de rocs escarpés ; des fourmis dans leur fourmilière sont comme un petit peuple d'un petit pays ; les sillons laissés sur la plage de Tanger par la mer qui se retire ressemblent aux rayures de la peau des tigres ; ailleurs, des traces d'eau sur la poussière du sentier figurent les branches de certains arbres sans feuilles (« carnet Berzélius », II, 1724) ; les rochers ont des formes humaines et animales – éléphant, taureau, centaure (13 juillet 1855, I, 921) ; une limace mouchetée est semblable à une panthère (« carnet d'Augerville [Grenoble] », II, 1764). À l'intérieur d'un seul objet, même variété : ici, une branche séparée d'un arbre est un petit arbre complet ; ailleurs, certains animaux coupés en morceaux font autant d'êtres distincts qu'il y a de fragments ; une vague est divisée à l'infini en petites vagues (5 août 1854, I, 804) ; une plume est composée d'un million de plumes (21 novembre 1857, I, 1202). Ces réflexions, qui reviennent à plusieurs reprises dans ses écrits jusqu'en 1860, constitueront l'article « Unité » qu'il rédigera pour son « Dictionnaire des beaux-arts » (I, 1092). Si Delacroix ne tire pas ici ses exemples des fleurs proprement dites, la *métaphore* des fleurs établit bien, à d'autres

26. Eugène Delacroix,
Bouquet de fleurs dans un vase, 1843.
Huile sur toile ; 74 x 92 cm.
Vienne, Österreichische Galerie
Belvedere (NG 74).

moments, ce genre d'équivalence : à la noce juive à Tanger le 21 février 1832, « les femmes à gauche étagées comme des pots de fleurs » (I, 210); vingt ans après, le 24 février 1852, de petits enfants dans leurs costumes bariolés sont « comme une corbeille de fleurs » (I, 583). C'est dans le cadre de ses études de fleurs qu'il avait formulé cet aspect si important de sa philosophie de la nature et des moyens picturaux d'en rendre l'unité.

*

> « Il n'y a que ceux qui savent faire de l'effet en se passant du modèle qui puissent véritablement en tirer parti, quand ils le consultent. » (12 octobre 1853, I, 687)
> « *26 septembre [1847], dimanche.* – M. Cournault me dit avoir vu à Alger un ouvrier qui taillait des morceaux de cuir ou d'étoffe pour des ornements, regardant avec grande attention un bouquet de fleurs pour se guider. Ils ne doivent probablement qu'à l'observation de la nature l'harmonie qu'ils savent mettre dans les couleurs. Les Orientaux ont toujours eu ce goût. Il ne paraît pas que les Grecs et les Romains l'aient eu au même degré, à en juger par ce qui reste de leurs peintures. » (I, 396)

Ces leçons tirées de la Nature – sur la synesthésie, la mémoire, l'unité dans la variété –, qu'en fait le peintre ? Comment se laisser guider par le bouquet de fleurs, comme l'ouvrier algérien ? Comment le peintre moderne se fera-t-il en cela plus « oriental », moins « grec » ou « romain » ? À maints endroits le *Journal* témoigne que, en tant que coloriste, Delacroix essayait de suivre la leçon de la nature :

> « J'ai observé dans l'omnibus à mon retour l'effet de la demi-teinte dans les chevaux comme les bais, les noirs, enfin à peau luisante. » (4 février 1847, I, 343)
> « Je remarquai un de ces matins, étant au soleil dans ma galerie, l'effet prismatique de la multitude de petits poils du drap de ma veste grise. Toutes les couleurs de l'arc-en-ciel y brillaient comme dans le cristal ou le diamant. Chacun de ces poils étant poli réfléchissait les plus vives couleurs, lesquelles changeaient à chaque mouvement que je faisais ; nous n'apercevons pas cet effet en l'absence du soleil [...] » (4 novembre 1857, I, 1188-1189)
> « Je remarque le mur en briques très rouges qui est dans la petite rue en retour. La partie éclairée du soleil est rouge orangé, l'ombre très violette, brun rouge, terre Cassel et blanc [...] Je découvre un jour que le linge a toujours des reflets verts et l'ombre violette. Je m'aperçois que la mer est dans le même cas, avec cette différence que le reflet est très modifié par le grand rôle que joue le ciel. [...] Je

vois de ma fenêtre l'ombre des gens qui passent au soleil sur le sable qui est sur le port; le sable ou ce terrain est violet par lui-même, mais doré par le soleil. L'ombre de ces personnages est si violette que le terrain devient jaune. » (« manuscrit sur la couleur », II, 1721)
« Je réfléchissais sur les luisants jaunes de Rubens ce matin dans mon lit, qui a des rideaux blancs. Le papier de la pièce est d'un vert chou tendre. La transparence donnait un ton vert aux parties sombres plus près du mur; les reflets, c'est-à-dire les plis saillants, étaient roses. » (« carnet d'Augerville », II, 1816)

Dans ses séjours à Dieppe, surtout, Delacroix passe des heures à noter le jeu des tons, des reflets et des ombres sur la mer :

« Dans la mer de ce matin [...] j'ai le soleil à dos en la regardant de la jetée. La masse qui reçoit la lumière directe est la plus grande. Elle est d'un jaune transparent. [...] Si je me retourne de l'autre côté, c'est-à-dire ayant le soleil en face et un peu à droite, et la mer à gauche, la masse dominante se trouve être le reflet du ciel, qu'il ne faudrait pas faire trop brillant. » (« feuillets de Dieppe », 1852, II, 1708-1709)
« Dans la promenade de ce matin, étudié longuement la mer. Le soleil étant derrière moi, la face des vagues qui se dressait devant moi était jaune, et celle qui regardait le fond réfléchissait le ciel. Des ombres de nuages ont couru sur tout cela et ont produit des effets charmants : dans le fond, à l'endroit où la mer était bleue et verte, les ombres paraissaient comme violettes; un ton violet et doré s'étendait aussi sur les parties plus rapprochées quand l'ombre les couvrait. Les vagues étaient comme d'agate. » (25 août 1854, I, 815)

Baudelaire a bien saisi ce rapport entre la nature, le colorisme et la couleur des tableaux de Delacroix : « [...] je n'ai jamais vu de palette aussi minutieusement et aussi délicatement préparée que celle de Delacroix. Cela ressemblait à un bouquet de fleurs savamment assorties[24] ». Mais au-delà de la seule question de la couleur, comment le peintre reproduit-il dans son tableau cette harmonie dont témoigne la nature ?
Le conflit entre l'imitation de la nature ou du modèle, d'une part, et la nécessité de l'imagination d'autre part, traverse tout le *Journal*. Delacroix fait preuve d'une ambivalence féconde. De l'imitation directe, minutieuse, il ne peut être question : « La froide exactitude n'est pas l'art; l'ingénieux artifice [...] est l'art tout entier » (18 juillet 1850, I, 528). D'où l'infériorité, selon lui, de l'école française en peinture, qui reste trop proche du modèle et, par conséquent, « glace » l'imagination

27. Eugène Delacroix,
Corbeille de fleurs,
vers 1848-1849.
Huile sur papier marouflé
sur toile ; 62 x 87 cm.
Lille, Palais des Beaux-Arts
(inv. 563).

(23 mars 1855, I, 888 ; 14 février 1857, I, 1109). Le modèle « tire tout à lui, et il ne reste plus rien du peintre » (12 octobre 1853, I, 686). « L'indépendance de l'imagination doit être entière devant le tableau. Le modèle vivant [...] déroute l'esprit et introduit un élément étranger dans l'ensemble du tableau » (26 avril 1853, I, 640). Cette question l'occupe fort au moment où il entreprend les grands tableaux de fleurs. Dans une lettre à Constant Dutilleux le 6 février 1849, il parle de quelques tableaux de fleurs qu'il vient de voir, vraisemblablement chez un marchand, expérience qui l'amène à préciser ses propres intentions :

> « Ils sont pleins de talent ; [...] ils ne me semblent pécher que par le défaut qui est commun à toutes ces sortes d'ouvrages faits par des hommes spéciaux : l'étude des détails, poussée à un très haut point, nuit un peu à l'ensemble. [... L]'artiste a moins procédé par de grandes divisions locales de lignes et de couleurs que par une attention extrême à exprimer les différentes parties [...] et il ne reste que cet éparpillement qui nuit un peu à l'effet. [...] J'ai [...] procédé d'une façon toute contraire [...], et j'ai subordonné les détails à l'ensemble autant que je l'ai pu[25]. »

L'imitation littérale affiche sa médiocrité :

> « Plus elle est littérale, cette imitation, plus elle est plate, plus elle montre combien toute rivalité [avec la nature] est impossible. On ne peut espérer arriver qu'à des équivalents. Ce n'est pas la chose qu'il faut faire, mais seulement le semblant de la chose – encore est-ce pour l'esprit et non pour l'œil qu'il faut produire cet effet. » (25 mai 1854, I, 774)

Delacroix reprend cette idée dans des réflexions sur le réalisme :

> « Le but de l'artiste n'est pas de reproduire exactement les objets, il serait arrêté aussitôt par l'impossibilité de le faire. Il y a des effets très communs, qui échappent entièrement à la peinture et qui ne peuvent se traduire que par des équivalents : c'est à l'esprit qu'il faut arriver et les équivalents suffisent pour cela. » (« carnet de Bade/Strasbourg », 29 août 1859, II, 1777)

En revanche, se laisser *guider* par la nature, comme le fait l'ouvrier algérien, conduit à des effets « frappants » qui « emporte[nt] tout de suite l'imagination » :

> « Il est probable qu'en faisant souvent sans modèle, quelque heureuse que soit la conception, on n'arrive pas à ces effets frappants qui sont obtenus simplement

dans les grands maîtres, uniquement parce qu'ils ont rendu naïvement un effet de nature, même ordinaire. [...] Dans le petit *Saint Martin* de Van Dyck copié par Géricault[26], la composition est très ordinaire ; cependant l'effet de ce cheval et de ce cavalier sont [*sic*] immenses. Il est très probable que cet effet est dû à ce que le motif a été vu sur nature par l'artiste. » (29 janvier 1847, I, 339)

Delacroix fait le même genre d'observation à propos de sa propre peinture. Travaillant à son *Éducation de la Vierge* (J461), il reconnaît les effets obtenus en suivant la nature : ill. 29

« Le fond refait sur des arbres que j'ai dessinés il y a deux ou trois jours, à la lisière de la forêt vers Draveil, a changé tout ce tableau. Ce peu de nature prise sur le fait, et qui pourtant s'encadre avec le reste, lui a donné un caractère. J'ai repris également, pour les figures, les croquis faits à Nohant d'après nature pour le tableau de Mme Sand [J426]. J'y ai gagné de la naïveté et de la fermeté dans la simplicité. C'est cet effet qu'il faut obtenir de l'emploi du modèle et de la nature en général ; c'est aussi la chose la plus rare dans la plupart des tableaux où le modèle joue un grand rôle. » (12 octobre 1853, I, 686) ill. 28

Le dessin fait sur nature a donné au tableau un caractère qui traduit l'idée de l'artiste. Delacroix en vient même à prétendre que « ce qu'on appelle *création* dans les grands artistes n'est qu'une manière particulière à chacun de voir, de coordonner et de rendre la nature » (3 mars 1859, II, 1271). ill. 30

Cette ambivalence – l'imitation exacte refusée pour sa « froideur », sa « sécheresse », sa « gaucherie », son manque de composition et d'ensemble (8 octobre 1847, I, 399 ; 12 octobre 1853, I, 687) ; la nature « prise sur le fait » prisée pour l'effet frappant, le caractère, la force d'expression qu'elle produit – ne sera jamais entièrement résolue. Dans le rapport du détail à l'ensemble, il y a une ambiguïté productive entre le rôle secondaire du détail et sa nécessité : « C'est le propre seulement des plus grands artistes de produire dans leurs œuvres la plus grande unité possible, de telle sorte que les détails non seulement n'y nuisent point, mais y soient d'une nécessité absolue » (« petit cahier de Champrosay », II, 1670). Delacroix s'efforce d'accorder l'emploi de la nature comme modèle et l'exercice de l'imagination : il y a un mélange de liberté et de composition dans le corpus de ses tableaux de fleurs, et dans les grands tableaux de fleurs eux-mêmes.

L'expérience des fleurs, avec leur faculté d'évoquer d'autres sensations, moments, idées, fournit peut-être une réponse à ce problème. Delacroix conçoit l'imagination comme « une sorte de miroir où la nature telle qu'elle est vient se réfléchir » (6-7 février 1857, I, 1103). D'où le paradoxe que « les peintres qui reproduisent tout

28. Eugène Delacroix, *Éducation de la Vierge*, 1842. Huile sur toile ; 95 x 125 cm. Musée national Eugène-Delacroix (MD 2003-8).

29. Eugène Delacroix, *Éducation de la Vierge*, 1853. Huile sur toile ; 46 x 55 cm.
Tokyo, Musée national d'art occidental.

30. Eugène Delacroix, *Étude pour* l'Éducation de la Vierge, 1853.
Graphite ; 12 x 18,5 cm. Musée du Louvre, département des Arts graphiques (RF 9494).

simplement les études dans leurs tableaux ne donneront jamais au spectateur un vif sentiment de la nature » (12 octobre 1854, I, 851). La nature ne peut être saisie qu'à travers l'imagination-miroir qui en fait ressortir l'intérêt :

> « Devant la nature elle-même, c'est notre imagination qui fait le tableau. Nous ne voyons ni les brins d'herbe dans un paysage, ni les pores de la peau dans un joli visage ; notre œil, dans l'heureuse impuissance d'apercevoir ces infimes détails, ne fait parvenir à notre esprit que ce qu'il faut qu'il perçoive lui-même ; ce dernier fait encore à notre insu un travail particulier : il ne tient pas compte de tout ce que l'œil lui présente. Il rattache à d'autres impressions antérieures celle qu'il éprouve, et sa jouissance dépend de sa disposition présente. Cela est si vrai que la même vue ne produit pas le même plaisir dans des moments différents. » (« carnet de Bade/Strasbourg », [1859], II, 1779)

Delacroix affirme donc le rôle de l'imagination dans la *perception même* de la nature : la capacité de la nature d'émouvoir, de faire penser, de causer du plaisir, vient non seulement de la nature elle-même mais aussi de l'esprit qui la perçoit, leçon représentée dans l'expérience des fleurs. Plus encore, cet effet est lié, comme celui des fleurs, à la mémoire : devant un tableau,

> « le spectateur est ému parce qu'il voit la nature par souvenir, en même temps qu'il voit votre tableau. Il faut que votre tableau soit déjà orné, idéalisé, pour que l'idéal, que le souvenir fourre bon gré mal gré dans la mémoire que nous conservons de toutes choses, ne vous trouve pas inférieur à ce qu'il croit être la représentation de la nature [...] » (12 octobre 1854, I, 851)

C'est par le souvenir que la nature, se réfléchissant dans le miroir de l'imagination, opère sur l'âme (6-7 février 1857, I, 1103). Seul le tableau fait avec imagination saura parler, comme la fleur évocatrice, au souvenir forcément idéalisant du spectateur.

*

> « Champrosay 2 j[uille]t forêt. Les dons naturels dépourvus de la culture peuvent ressembler à ce chèvrefeuille charmant de grâce mais sans odeur que je vois se suspendre aux arbres de la forêt. » (« carnet d'Othello » [1855], coll. part.)

Les fleurs deviennent l'image par laquelle Delacroix exprime cette importance de l'imagination pour l'appréhension de la nature. Comme le chèvrefeuille gracieux

mais sans odeur – cette odeur qui, nous l'avons vu, fait le charme de la fleur, lui donne sa puissance, contribue à son unité synesthésique, appelle le souvenir, en fournit le plaisir –, les dons naturels sans culture n'ont pas de puissance d'effet. Il est tentant d'étendre cette analogie à la peinture : le mélange de liberté et de formalisme qui a été si souvent remarqué, et critiqué, dans les tableaux de fleurs de 1849 s'expliquerait par cette nécessité de la « culture » dans la représentation de la « nature », par ce désir de rendre les *effets* – affectifs, mnémoniques, synesthésiques – de la nature. Dans la lettre à Constant Dutilleux dans laquelle Delacroix précise ses intentions concernant ces tableaux, il écrit qu'il « a essayé de faire des morceaux de nature comme ils se présentent dans des jardins, seulement en réunissant dans le même cadre et d'une manière un peu probable la plus grande variété de fleurs[27] ». On a souvent mis en cause cette remarque, non sans raison, en faisant observer la qualité décorative de ces tableaux et leur dette évidente envers la tradition – Monnoyer, Van Huysum – même s'ils contiennent, dans la touche par exemple, un caractère plus libre, plus proche de la matérialité coloriste, de la facilité de l'esquisse qui marquent ses meilleures toiles. Le peintre perdit-il son courage, se retirant dans le domaine des problèmes picturaux traditionnels, et échouant dans sa tentative de maintenir la fraîcheur de l'esquisse dans le tableau achevé[28] ? Ou bien doit-on insister sur les libertés que Delacroix a prises avec les règles classiques, par exemple en dissolvant la perspective centrale et en choisissant un point de mire profond[29] ?
Le statut particulier des fleurs dans la pensée de Delacroix fournit une autre perspective sur cette question. On pourrait considérer les *Fleurs* de 1849 comme le lieu d'une expérimentation de ce rapport entre nature et culture – la tentative de faire éprouver, par la représentation d'un objet naturel, matériel, les diverses qualités sensuelles de cet objet aussi bien que ses qualités spirituelles, sa capacité d'émouvoir, de rappeler le passé oublié, de faire penser, d'inspirer. Delacroix s'était longtemps préoccupé de la difficulté de marier la « fraîcheur du premier jet » et le « fini », l'esquisse et le tableau achevé[30]. Mais dans ses tableaux de fleurs, le problème ne se pose explicitement que dans les grands tableaux de 1849. À en juger par les seuls tableaux de fleurs antérieurs dont la date soit sûre, ceux d'Édimbourg et de Vienne, il avait dès 1833 traité les fleurs avec une liberté et une énergie « modernes », et il fera de même dans la représentation de fleurs après 1849[31]. La nouveauté réside dans le mélange curieux de composition formelle et de liberté, de « culture » et de « nature », que l'on trouve dans les grands tableaux de 1849.

ill. 19 et 26

Arrêtons-nous un moment sur ces tableaux extraordinaires. En fait nous en savons assez peu : il y en avait cinq à l'origine, dont quatre, de mêmes dimensions et

31. Eugène Delacroix, *Corbeille de fruits posée dans un jardin de fleurs*, 1848-1849.
Huile sur toile ; 108 x 143 cm. Philadelphie, Philadelphia Museum of Art (John G. Johnson Collection cat. 974).

32. Eugène Delacroix, *Corbeille de fleurs renversée dans un parc*, 1848-1849.
Huile sur toile ; 107 x 142 cm. New York, The Metropolitan Museum of Art, legs de Miss Adelaide Milton de Groot (67.187.60).

33. Eugène Delacroix, *Vase de fleurs sur un entablement*, 1848.
Graphite ; 10,9 x 18 cm. Bibliothèque de l'INHA (carnet 120, autog. 1397/17, f° 11v).

disposés en largeur. De cet ensemble de quatre, deux n'ont pas été retrouvés : *Groupe de marguerites et de dahlias dans un parterre* (J[L]214) et *Hortensias et agapanthus près d'un étang* (J[L]214). Ceux que nous connaissons sont la *Corbeille de fruits posée dans un jardin de fleurs* de Philadelphie (J501) et la *Corbeille de fleurs renversée dans un parc* de New York (J502). Le cinquième tableau, plus petit que les quatre autres et, contrairement à eux, composé en hauteur, a été identifié au *Vase de fleurs sur une console* de Montauban (J503). Le « carnet rouge de Champrosay » contient en effet des dessins de fleurs de 1848-1849 qui ne sont pas loin de la composition de ce tableau[32].

ill. 31
ill. 32
ill. 5
ill. 33

On sait que Delacroix destinait les cinq tableaux au Salon de 1849; que celui qui était plus petit et « en hauteur » ne fut pas achevé à temps[33]; qu'il avait envoyé les quatre autres au Salon mais qu'il avait demandé à Léon Riesener d'en retirer deux, ceux qui sont aujourd'hui perdus, n'en étant pas satisfait[34]. Les copies des lettres de Riesener à Delacroix publiées par Jean Bergeret révèlent que Delacroix n'a fait retirer ces deux tableaux que sur les conseils de Riesener lui-même. Celui-ci avait signalé à Delacroix l'effet sombre qu'ils produisaient, effet qu'il attribuait à leur emplacement :

« J'ai vu aussi tes quatre tableaux de fleurs à leur place. Deux surtout y font très bien, la corbeille de fruits et celui à la guirlande de lianes. Il m'a semblé que les deux autres, aussi délicats assurément de vérité et de détails, mais moins disposés pour un effet saisissant, résistaient moins aussi au contact des ouvrages plats et durs qui sont autour. Ils paraissent noyés dans une demi-teinte, qui, au grand jour où tu les as peints, était variée et lumineuse, mais qui, là où ils sont placés, perd tout son effet. C'est pour cela que je te presse de les aller voir le plus tôt possible et de changer leur place car, d'après ce que l'on m'a dit, ils auraient fait sur plusieurs personnes, tes admirateurs, la même impression. [...] Séchan m'a dit que tu demandais à les retoucher. Si, réellement, tu n'avais pas le temps de te satisfaire, peut-être vaudrait-il mieux réserver ces deux tableaux pour la prochaine exposition que de se livrer à la critique de Couture et de l'Institut. Enfin, vois au plus tôt et juge[35]. »

En l'occurrence, les deux tableaux retirés ne furent exposés ni au Salon de 1850 ni à l'Exposition universelle de 1855 où figurèrent les trois autres[36]. En 1862, Delacroix exposa à la galerie du Cercle Choiseul, dans l'espoir de les vendre, les quatre tableaux en largeur qui formaient un ensemble, les envisageant, en raison de leurs dimensions, « dans une grande habitation et chez un homme d'une certaine fortune[37] ». En 1849 un tel amateur aurait pu être, par exemple, Daniel Wilson, alors propriétaire du *Sardanapale* et qui, cinq jours avant sa mort prématurée le 2 septembre 1849, avait exprimé à Delacroix son admiration des tableaux de fleurs exposés au Salon : « J'ai vu à l'exposition vos beaux tableaux de cette année. Les *Fleurs* sont d'une couleur superbe et m'ont, ainsi que les autres tableaux, fait grand plaisir[38]. » Malgré un succès « satisfaisant », les quatre tableaux ne trouvèrent d'acheteur qu'à la vente après décès de Delacroix, où ils furent répartis entre trois amateurs[39] ; le cinquième tableau, celui en hauteur, fut légué par Delacroix à l'avocat Legrand[40].
Pour les deux qui n'ont pas été retrouvés, nous avons les descriptions de la vente posthume de Delacroix et aussi les notes du *Journal*. L'un représentait un « groupe de marguerites et de dahlias dans un parterre », l'autre des « hortensias [et agapanthes] sur le bord d'un étang[41] ». L'aquarelle du Louvre serait sans doute une étude en vue de ce dernier, puisque y figurent, au milieu d'un magnifique hortensia, des fleurs d'agapanthe[42].

ill. 12

Les deux autres tableaux font preuve, dans leur composition et leur exécution, d'un mélange de « nature » et de « culture ». Dans les deux, une perspective profonde attire l'œil du spectateur vers le paysage du fond, paysage rendu de manière « naturelle » tout en jouant le rôle d'une mise en scène ; sur le devant, des fleurs et des fruits s'étalent en nature morte très composée – la corbeille renversée dans l'un,

ill. 31 et 32

la corbeille posée sur la table de pierre dans l'autre. Le « cadre » floral qui entoure la corbeille renversée, composé d'un arceau de liserons, paraît, avec l'amaranthe rouge sur la gauche, un élément décoratif, tandis qu'on voit, d'après l'étude au pastel qui y a servi, qu'il a été fait sur nature[43]. De même, les fleurs que verse la corbeille comme une corne d'abondance créent un jet de couleur et de mouvement – des rouges brillants, des blancs étincelants, des jaunes chauds, rendus avec un pinceau extrêmement vigoureux ; elles donnent l'impression d'une texture délicate, comme cette « jonchée incroyable de pétales » admirée en 1853, ou ces maints « tapis de fleurs les plus diaprés » qui avaient frappé le peintre au Maroc[44]. Le parc, assez formel, qui constitue le paysage est exécuté avec une liberté énergique, tels les hortensias et les roses trémières sur la droite rendus d'une manière très libre. Dans le tableau de Philadelphie, la corbeille posée, d'un immobilisme apparent qui attire et fixe le regard, fait contraste avec la variété et la profusion de fleurs, fruits, légumes, noix et feuilles qu'elle étale en bouquet, avec leurs formes plastiques qui suggèrent paradoxalement le mouvement et la consistance, et rendus dans des couleurs vives, éclatantes, lumineuses ; des roses trémières dont les fleurs sont de grosses taches de couleur s'échelonnant le long des tiges et des grappes de roses remplissent avec une sorte d'exubérance l'espace autour de la corbeille. Ces fleurs-cadre rendues d'une manière naturelle forment néanmoins comme des rideaux ou des panneaux décoratifs qui s'entrouvrent pour révéler le ciel bleu, comme au fond d'une scène de théâtre[45].

ill. 85

Par cette rencontre étrange de « nature » et de « culture », ces tableaux appellent la contemplation et la réflexion. Comme les fleurs dans la nature, affectives, synesthésiques et mnémoniques, ils doivent porter au-delà d'eux-mêmes, au-delà du regard, pour en appeler aux autres sens et à l'esprit. Ils doivent restituer au « chèvrefeuille charmant de grâce » son « odeur » symbolique, rendre la puissance évocatrice de la nature.

Delacroix ne refit jamais cette tentative. Après 1850, la peinture de fleurs devint principalement une affaire d'études et d'œuvres sur papier, œuvres souvent splendides, mais à un rang moins élevé dans la hiérarchie des moyens. Ou bien les fleurs servent d'accessoires à la peinture d'histoire ou de genre, telles celles en bas à droite de la *Chasse au tigre* de 1854 (J194) ; les roses trémières sur la droite des *Baigneuses* de la même année (J169), tableau qui, comme les grands tableaux de fleurs, est, suivant l'expression de Sébastien Allard, « aux frontières périlleuses du décoratif[46] » ; les corbeilles et guirlandes de l'allégorie du *Printemps* de la série des *Quatre Saisons* (J248). L'effort de marier nature et culture à travers les fleurs ne se répéta pas. Delacroix avait-il appris que, dans la représentation des fleurs, la culture ne peut « l'emporter sur la nature » comme il l'aurait voulu[47] ?

ill. 34
ill. 35
ill. 36

34. Eugène Delacroix, *Chasse au tigre*, 1854. Huile sur toile ; 73,5 x 92,5 cm. Musée d'Orsay (RF 1814).

Peut-être. En revanche, tout se passe comme si, à mesure que la représentation des fleurs diminue dans ses tableaux après 1850, l'importance de la nature et du paysage en général augmente[48]. Mers, ciels, montagnes, arbres prennent le dessus sur les fleurs et s'élèvent à une grandeur « sublime », tels les montagnes de l'*Ovide chez les Scythes* de 1859 (J334), les arbres de la *Lutte de Jacob avec l'ange* de 1861 (J602), ou la mer et le ciel de *Démosthène harangue les flots* de 1859 (J330). Ces autres éléments de la nature prennent en quelque sorte la place que Delacroix avait attribuée aux fleurs : ils atteignent une puissance d'effet qui va au-delà de la représentation mimétique et du statut d'accessoire, pour devenir un « élément d'intérêt » qui est source d'effets puissants (29 juillet 1854, I, 797). L'expérience des fleurs a joué un rôle crucial dans cette innovation si remarquable de ses dernières années.

ill. 38
ill. 37
ill. 39

35. Eugène Delacroix, *Baigneuses*, 1854. Huile sur toile ; 92,7 x 78,7 cm. Hartford, Wadsworth Atheneum (1952.300).

36. Eugène Delacroix, *Orphée et Eurydice* ou *Le Printemps*, 1856-1863. Huile sur toile ; 198 x 165,7 cm. São Paulo, Museu de Arte (67/1952).

37. Eugène Delacroix, *Lutte de Jacob avec l'ange*, 1861. Huile et cire sur enduit ; 751 x 485 cm. Paris, église Saint-Sulpice.

38. Eugène Delacroix, *Ovide chez les Scythes*, 1859.
Huile sur toile ; 88 x 130 cm. Londres, National Gallery (NG 6262).

39. Eugène Delacroix, *Démosthène harangue les flots*, 1859.
Huile sur papier marouflé sur bois ; 49 x 59,5 cm. Dublin, National Gallery of Ireland (cat. n° 964).

L'herbier du peintre

Pour finir, considérons un dernier aspect des fleurs qui n'est pas le moins important. Les fleurs-souvenirs s'associent à cet autre témoin, et à cet autre espace, du souvenir chez Delacroix qu'est son *Journal*. Au niveau le plus élémentaire, des fleurs pressées, dont la plupart ont malheureusement disparu, s'éparpillaient dans les agendas : en 1854, un bleuet, un grand réséda, des boutons-d'or, un petit réséda (I, 733). Reste encore, dans l'agenda de 1859, une unique lobélie (II, 1272). Plus encore, les fleurs s'avèrent être une *figure* des pensées et des souvenirs du *Journal* :

> « J[enny ?] me conseille d'imprimer, comme elles sont, mes réflexions, pensées, observations, et je trouve que cela me va mieux que des articles *ex professo*. Il faudrait pour cela les récrire à part, chacune sur une feuille séparée, et les mettre au fur et à mesure dans un carton… Je pourrais ainsi, dans les moments perdus, en mettre au net une ou deux, et au bout de quelque temps j'aurais fait un fagot de tout cela, comme fait un botaniste, qui va, mettant dans la même boîte les herbes et les fleurs qu'il a cueillies dans cent endroits et chacune avec une émotion particulière. » (20 mai 1853, I, 663)

Le *Journal* comme herbier, comme fagot de fleurs cueillies partout qui renferment chacune une émotion ou une pensée, réalise la puissance évocatrice, synesthésique et mnémonique que Delacroix attribuait aux fleurs naturelles. La métaphore botanique empruntée à Rousseau fait du *Journal* une collection de rêveries philosophiques – libres, discontinues, fragmentaires, sans rhétorique ni enchaînement –, comme les *Rêveries du promeneur solitaire*[49]. Ce sera aussi le principe du « Dictionnaire des beaux-arts » que Delacroix envisagera – et rédigera – dans ses dernières années, projet inachevé mais dont on trouve la matière dans le *Journal*, surtout celui de 1857, et dans des notes éparses[50]. Recueil personnel, intime, sans transitions, dont « chaque article séparé […] laisse plus de trace dans l'esprit » et qui procède sans « fondre ces différentes parties dans un ensemble suivi » (II, 1785), le « Dictionnaire », comme le *Journal*, est semblable au fagot de fleurs du botaniste : dépôt d'émotions et de pensées, source d'inspirations nouvelles. « On le prend et on le quitte ; on l'ouvre au hasard, et il n'est pas impossible d'y trouver, dans la lecture de quelques fragments, l'occasion d'une longue et fructueuse méditation » (16 janvier 1860, II, 1292). Recueil-florilège qui non seulement conserve ses idées, ses sentiments et ses souvenirs, mais encore fait sentir, réfléchir, se souvenir, le *Journal* est un témoignage éloquent de la place exceptionnelle des fleurs dans la pensée et dans l'œuvre de Delacroix.

40. Eugène Delacroix, *Étude de fleurs*.
Huile sur toile ; 69,3 x 92,5 cm. Saint-Pétersbourg, musée de l'Ermitage.

1. Silvestre, 1864, p. 63-64.
2. *L'Œuvre et la vie d'Eugène Delacroix*, in Baudelaire, *Œuvres complètes*, I, p. 758.
3. Dumas, [1954-1968], vol. V, chap. CCXXI, p. 42. L'épisode a dû se passer en novembre 1853 : voir le *Journal* de Delacroix, 25 novembre 1853 (Delacroix, *Journal*, I, p. 714-715).
4. Il y a quelques exceptions notables : signalons Margret Stuffmann, « Delacroix' Blumen », cat. exp. Karlsruhe, 2003, p. 81-85 ; Vincent Pomarède, « Le sentiment de la nature », in cat. exp. Paris et Philadelphie, 1998-1999, p. 117-122 et cat. 24-37 ; Vincent Pomarède, « Eugène Delacroix et le paysage. Déclinaisons multiples à partir d'un genre pictural », in cat. exp. Madrid et Barcelone, 2011, p. 297-315.

ill. 10
ill. 8

5. La copie de Cézanne est conservée au musée Pouchkine de Moscou. Outre l'aquarelle des *Hortensias et agapanthes*, Degas possédait un pastel de *Scylles* (Johnson, 1995, n° XLV, non retrouvé) et trois aquarelles de roses trémières (Colta Ives *et al.*, 1997, p. 42 n° 349). L'aquarelle de Gauguin se trouve au f° 1r du manuscrit de *Noa-Noa* (musée du Louvre, RF 7259, copie notée par Johnson (voir Johnson, 1982-2002, n° 493), d'après Richard Field (voir Field, 1977, p. 51).
6. « On comprend donc tout ce que j'ai dit de la puissance de la peinture. Si elle n'a qu'un moment, elle concentre *l'effet* de ce moment » (20 octobre 1853, Delacroix, *Journal*, I, p. 697).

ill. 13 et 14

7. Ces deux études de marronniers, datées « 20 mai 53 », sont conservées au Rijksmuseum d'Amsterdam. Le Louvre possède un autre dessin portant la même date et représentant différents arbres fleuris : pêcher, oranger, lilas, marronnier rose (Sérullaz *et al.*, 1984, n° 1226).
8. Lee Johnson, 1995, n° XLIII, non retrouvé.

ill. 15

9. Ce dessin se trouve dans le « carnet de Bade/Strasbourg » conservé à l'Art Institute de Chicago, f° 23v-24r.
10. Lee Johnson, 1995, n° XLVI (alors non retrouvé). Ce pastel passa par la suite dans la vente Artcurial n° 1600, *Dessins anciens et du XIXe siècle*, Paris, hôtel Marcel Dassault, 27 mars 2009, lot 13 (reproduit dans le catalogue). Je précise, puisqu'il y a eu beaucoup de confusion sur ce point, que Delacroix offrit ce pastel à Haro pour le remercier de son aide en plaçant la *Mise au tombeau* de 1859 (J470) chez Mathieu-Édouard Werlé, négociant en vins de Champagne et maire de Reims : une lettre de Haro (fonds Piron cat. 36, Musées nationaux) du 26 juillet 1860 montre que le « Rougemont de Loewenberg » mentionné dans la lettre de Delacroix du 14 août 1860 n'est que le banquier de Werlé (Delacroix, *Correspondance*, IV, p. 191).
11. Cité dans Johnson, 1982-2002, III, 258, n° 492. Johnson fait observer d'ailleurs que dans le plafond du salon du Roi il y a un enfant qui porte une corbeille de fleurs renversée (Johnson, 1982-2002, n° 514).
12. Johnson, 1982-2002, n° 128 (Zurich, Kunsthaus), 1827.
13. Cf. 17 octobre 1853 (Delacroix, *Journal*, I, p. 690-691), où il exprime le « charme pénétrant » qu'il éprouve en ouvrant sa fenêtre sur la nature : « Une ville ne peut offrir rien de semblable. [...] Cette nature [...] me parle alors et me renouvelle. »
14. Clark, 1973, p. 125 et 133-141.
15. Matérialisme et progrès : 9 juin 1847, Delacroix, *Journal*, I, p. 385-386 ; 28 juin 1847, Delacroix, *Journal*, I, p. 388. Socialisme : 5 septembre 1847, Delacroix, *Journal*, I, p. 393-394.
16. Cf. 11 mars 1847 (Delacroix, *Journal*, I, p. 363) : « la destinée de l'homme, c'est-à-dire la résignation ».
17. Delacroix tenait beaucoup à ce texte, qu'il reprit à deux autres endroits en vue d'un projet de recueil de pensées « philosophiques » : voir le « cahier autobiographique » (Delacroix, *Journal*, II, p. 1747) et les « pensées diverses » (Delacroix, *Journal*, II, p. 1809). Le langage reflète le décor de la bibliothèque du Palais-Bourbon, se balançant entre civilisation et barbarisme, par exemple dans le sujet de *La Mort de Pline l'ancien* : la lave du volcan enfouit Pline en train d'écrire l'éruption du Vésuve. Voir Delacroix, *Journal*, I, p. 505, n. 148 et Hannoosh, 1995, p. 145.
18. 24 juin 1849, Delacroix, *Journal*, I, p. 450 ; 12 août 1858, Delacroix, *Journal*, II, p. 1255.
19. Baudelaire, *Œuvres complètes*, II, p. 595.
20. Baudelaire, « Correspondances », in *ibid.*, I, p. 11 :

    Il est des parfums frais comme des chairs d'enfants,
    Doux comme les hautbois, verts comme les prairies,
    – Et d'autres, corrompus, riches et triomphants,

    Ayant l'expansion des choses infinies,
    Comme l'ambre, le musc, le benjoin et l'encens,
    Qui chantent le transport de l'esprit et des sens.

21. Sur le rajeunissement qu'opère la nature, voir aussi 21 octobre 1856 : « J'éprouve toujours cet appétit de la nature, cette fraîcheur d'impressions qui n'est ordinaire que dans la jeunesse » (Delacroix, Journal, I, p. 1041).
22. « Parfois on trouve un vieux flacon qui se souvient, / D'où jaillit toute vive une âme qui revient » (Baudelaire, « Le Flacon », voir Baudelaire, *Œuvres complètes*, I, p. 48).
23. À la différence de la liste inscrite dans le « carnet héliotrope » vers 1835 (Delacroix, *Journal*, II, p. 1547).
24. « L'œuvre et la vie d'Eugène Delacroix », in Baudelaire, *Œuvres complètes*, II, 748.
25. Delacroix, *Correspondance*, II, p. 372-373.
26. Bruxelles, musée des Beaux-Arts. Delacroix possédait alors cette copie.
27. Delacroix, *Correspondance*, II, p. 373.
28. C'est la thèse de T. J. Clark, voir Clark, 1973, p. 131-132.
29. C'est la réponse de Margret Stuffmann (« Delacroix' Blumen », in cat. exp. Karlsruhe, 2003, p. 84 et n. 21), qui fait remarquer aussi que le sujet de ces tableaux n'est pas un refus de l'histoire, la nature étant souvent, chez Delacroix, une figure de la temporalité et de l'histoire.
30. Sur l'inachevé et le fini, voir 15 juillet 1850 (Delacroix, *Journal*, I, p. 525), 13 avril 1853 (Delacroix, *Journal*, I, p. 631), 9 mai 1853 (Delacroix, *Journal*, I, p. 651) et les renvois signalés.

31. Johnson révise la date du tableau de Vienne (Johnson, 1982-2002, n° 497) dans son Troisième Supplément (voir Johnson, 1982-2002, VII, p. 335-336), d'après la correspondance de George Sand, le plaçant en 1843. ill. 26
32. Pour le « carnet rouge » voir Delacroix, *Journal*, II, p. 1673-1680. Il contient cinq croquis de fleurs (f° 9v, 11r, 11v, 15r, 15v).
33. Delacroix écrit au doreur Souty le 3 mai 1849 (Delacroix, *Correspondance*, III, p. 375) pour lui dire qu'il ne finira pas « celui des cinq tableaux de fleurs qui est plus petit (celui qui est en hauteur) ».
34. Delacroix, *Correspondance*, II, p. 380, 9 juin 1849.
35. Jean Bergeret, « Riesener-Delacroix, une relation à approfondir », *Bulletin de la Société des amis du musée national Eugène-Delacroix* n° 9 (2011), 55-68, ici p. 61. Vu la date de la réponse de Delacroix (Delacroix, *Correspondance*, II, p. 380-381, 9 juin 1849), dans laquelle il dit recevoir « à l'instant » la lettre de Riesener, celle-ci est sans doute de la veille, le 8 juin 1849, c'est-à-dire huit jours avant l'ouverture du Salon. Delacroix avait déjà vu les tableaux, qui lui avaient fait, tous les quatre, « une mauvaise impression » (Delacroix, *Correspondance*, II, p. 380).
36. Voir Johnson, 1982-2002, n°s 501, 502, 503. On peut les distinguer dans une photographie du temps, reproduite dans Trapp, 1971, p. 345, fig. 205.
37. Delacroix, *Correspondance*, IV, p. 315, lettre à Francis Petit, 2 mai 1862.
38. Lettre du 28 août 1849 (Archives des Musées nationaux).
39. Lots 87 (Johnson, 1982-2002, n° [L]213) et 89 (Johnson, 1982-2002, n° [L]214) à lady Ashburton; lot 88 (Johnson, 1982-2002, n° 502) à Sourigues; lot 90 (Johnson, 1982-2002, n° 501) à Achille Piron.
40. L'identification du tableau légué à Legrand a été mise en doute par Geneviève Lacambre, qui propose le *Bouquet de fleurs dans un vase de grès* (1847) conservé au musée de Guézireh (cat. exp. Paris 1994, n° 15, p. 52). Mais je crois que la provenance fournie par Johnson, qui suivait Daniel Ternois (« Un tableau de fleurs d'Eugène Delacroix. *Le Vase à la console* », *La Revue du Louvre et des musées de France* XV (1965), n° 4-5, p. 233-236), est correcte. Dans son testament, Delacroix lègue à Legrand « un *grand* tableau de fleurs *en hauteur* » (A.N. MC Ét XCVIII/1121) ; dans la copie du testament qui identifie les divers legs, celui destiné à Legrand est identifié comme n° 151 de l'inventaire après décès de Delacroix, « un tableau représentant des *Fleurs dans un vase* par M. Delacroix » ; un tableau de *Fleurs* mesurant *1,35 x 1 m* et appartenant à *Mme Legrand* figura à l'exposition des Beaux-Arts de 1885 (n° 127). Donc le tableau de Legrand était en hauteur, mesurait 1,35 x 1 m et représentait des fleurs dans un vase, ce qui correspond, par les dimensions, le sujet et la disposition, au tableau de Montauban (1,35 x 1,02 m). Or, cela correspond aussi au cinquième tableau de 1849, celui qui n'était pas achevé à temps pour le Salon, mieux que toute autre possibilité : comme le cinquième tableau, le tableau de Legrand/Montauban est « plus petit » que les quatre autres (de 5 à 8 cm en hauteur et en largeur), il est disposé « en hauteur » et, n'ayant pas été prêt pour le Salon de 1849, il ne saurait être celui du Caire, signé 1847. Zachary Xintaras (*Delacroix : les fleurs de 1849*, Paris, Books on Demand, 2011) propose qu'il y eut six tableaux de fleurs, et que le cinquième tableau destiné au Salon de 1849 n'était pas celui de Montauban mais un autre, aujourd'hui dans une collection particulière. Cependant, ce dernier tableau, que je n'ai pas vu, ne me paraît pas, d'après la reproduction, être de Delacroix. ill. 1 ill. 5
41. La description dans le catalogue de la vente posthume ne porte qu'« hortensias » mais le *Journal* du 11 mars 1849 précise « hortensias et agapanthus » (Delacroix, *Journal*, I, p. 431).
42. Plutôt que des scylles, comme on les a identifiées.
43. Je remercie mon collègue David Michener du jardin botanique Matthaei de l'université du Michigan d'avoir identifié l'amaranthe rouge.
44. Voir *supra*, p. 32.
45. Cf. Vincent Pomarède, « Le sentiment de la nature », in cat. exp. Paris et Philadelphie, 1998-1999, p. 129 ; Clark, 1973, p. 131.
46. Sébastien Allard, « Femmes turques au bain : aux limites de l'art pour l'art », in cat. exp. Madrid et Barcelone, 2011, p. 283.
47. « [...] la culture de Delacroix devait en effet l'emporter toujours sur la nature » (Vincent Pomarède, « Eugène Delacroix et le paysage », in *Delacroix. De l'idée à l'expression (1798-1863)*, *op. cit.*, p. 310).
48. Vincent Pomarède (*ibid.*) a souligné cette importance croissante du paysage dans l'œuvre tardive de Delacroix.
49. Jean-Jacques Rousseau, *Rêveries du promeneur solitaire*, 1776-1778, 7e promenade.
50. Pour le concept, voir surtout les « notes pour la préface du "Dictionnaire des beaux-arts" », écrites les 7 mars 1857 (Delacroix, *Journal*, II, p. 1782-1787), et le *Journal* des 14 et 21 janvier 1857 (Delacroix, *Journal*, I, p. 1072 et p. 1081-1084) et 16 janvier 1860 (Delacroix, *Journal*, II, p. 1289-1293). Pour les notes du « Dictionnaire », voir surtout du 11 janvier au 19 février 1857 (Delacroix, *Journal*, I, p. 1056 note 35, et p. 1063-1112).

Les références numérotées données après les noms de tableaux de Delacroix renvoient au catalogue raisonné de ses peintures par Lee Johnson (Johnson, 1982-2002).

Saison et raison des fleurs

Stéphane Guégan

Pour Guite et Diego Masson

Tu es ma République et je te donne ma voix.
Delacroix à Mme de Forget, 29 août 1848

Les fleurs que Delacroix a peintes en 1848 ont toujours rendu l'histoire de l'art plutôt perplexe, comme si elles tenaient en échec son discours, ses repères et ses visées habituelles[1]. Peu exposées, voire carrément expulsées des rétrospectives, ces intruses un peu désinvoltes appartiennent-elles au corpus du grand peintre au même titre que le reste ? On ne les prend pas toujours au sérieux, et on leur cherche, le plus souvent, des causes extérieures au peintre. C'est, selon les auteurs, la passion botanique de la « bonne » George Sand ou la négation apeurée des mauvaises politiques[2]. Oscillant entre la note bleue et le drapeau rouge, les *Fleurs* de 1848 n'ont pas de couleurs propres. Tandis que les uns y respirent avec soulagement une certaine sauvagerie champêtre, d'autres y voient ou dénoncent le mépris des « contraintes sociales », dont Delacroix ne faisait pas mystère tout en les observant. Ces derniers, au fond, continuent à lui reprocher d'avoir herborisé en pleine révolution, alors que la politique du moment eût réclamé mieux, et surtout des images explicites, une nouvelle barricade, empreinte de l'enthousiasme de février, ou quelque tableau exprimant au contraire

41. Eugène Delacroix, *Corbeille de fleurs renversée dans un parc*, 1848-1849 (détail, voir ill. 32).
Huile sur toile ; 107 x 142 cm.
New York, The Metropolitan Museum of Art, legs de Miss Adelaide Milton de Groot (67.187.60).

sa haine des rouges, empoisonneurs du peuple et responsables de la boucherie de juin. Serait-ce folie que de poser autrement la question de leur floraison soudaine, au milieu des pavés et des convulsions de l'histoire ? D'où viennent ces bouquets, qui ont la sensualité et la chaleur de ses odalisques les plus effeuillées ? Que disent-ils du peintre et de l'époque où il les réalisa avec un soin – et des difficultés – dont témoignent à maints endroits la correspondance et le *Journal* ? Tout en éloignant de façon illusoire les « événements » et l'agitation de la rue, ces tableaux faussement gratuits n'engageaient-ils pas une forme de continuité, comme nous le verrons ?

La jeunesse retrouvée

Contrairement à une idée fort répandue, Delacroix ne s'est pas tenu à l'écart des affaires de la jeune République, bien qu'il se soit rangé très vite du côté de ceux qui approuvèrent l'écrasement de juin, non moins que Michelet, Sand ou Victor Hugo, au demeurant. Point d'anachronisme ici. La grande peur qui aura saisi la bourgeoisie libérale, d'une révolution à l'autre, n'a pas épargné ceux qui devaient par la suite peindre Delacroix en réactionnaire. L'insurrection de février, le temps d'un éclair, sut cependant secouer la lancinante mélancolie d'un homme qui approchait la cinquantaine et l'âge des bilans, plus ou moins cafardeux. À Sand, après les émeutes victorieuses, il ne confesse aucun regret de la monarchie de Juillet, il parle du temps qui passe et trépasse, il parle du sang vif qui s'est répandu dans Paris. Il rappelle à son amie qu'il a justement l'âge des révolutions, qu'il est resté le fils de la République de 1789 et de l'Empire : « Nous avons véritablement vécu cinquante ans en quelques jours. Les jeunes gens sont devenus des hommes et je crains que bien des hommes ne deviennent promptement bien caducs[3]. » La Révolution, pour le dire comme Baudelaire, ou « la jeunesse retrouvée ». On sait que Delacroix contribua au retour de *La Liberté guidant le peuple* sur les cimaises du musée du Luxembourg, tableau que le gouvernement de Louis-Philippe en avait chassé dès 1832[4]. Le peintre, poussé par Thoré, sentait le profit symbolique qu'il tirerait de cette exhumation. Il donnait, à peu de frais, des preuves d'un républicanisme modéré, éclairé, qui avait toujours été le sien. C'est mal le connaître et mal connaître l'atmosphère d'alors que de s'étonner de son fléchissement d'enthousiasme dès que l'extrême gauche exigea davantage du gouvernement provisoire, réveillant le spectre de 1793. On n'y reviendra pas ici, malgré l'hypothèque qui pèse encore sur les positions politiques de Delacroix en 1848. L'amertume et la peur ne pouvaient que le saisir à nouveau, ainsi que le disent ses lettres de l'été. L'erreur est de s'y enfermer. L'article superbe que Delacroix publie en septembre sur Gros, poète moderne de « l'histoire toute nue »

ill. 42

42. Eugène Delacroix, *Le 28 juillet 1830. La Liberté guidant le peuple*, 1830.
Huile sur toile ; 260 x 325 cm. Musée du Louvre (RF 129).

et de la gloire de Bonaparte, résonne d'un tout autre rapport à l'histoire et au génie du siècle[5]. Du reste, sur le terrain des arts, Delacroix déploya une grande activité au sein de la commission permanente des Beaux-Arts, dont Charles Blanc s'était entouré pour mener à bien la réforme du Salon, des musées et de la commande publique. C'est dans ce contexte que Delacroix est appelé à juger les peintres qui ont concouru « pour la figure de la République », au même titre qu'Ingres, Delaroche, Cogniet, Decamps, Robert-Fleury, Schnetz, Meissonier. L'autre moitié du comité était composée de purs politiques, membres du gouvernement provisoire ou de l'administration, de Flocon à Lamartine, de Pyat à Arago, de Jeanron à Thoré. La consultation nationale avait été lancée par Ledru-Rollin dès le 14 mars. La formule du concours, bien faite pour plaire au bataillon des rapins, déplaisait à son élite, Delacroix compris. Flandrin devait y surclasser Daumier !

Le 17 mai, les résultats du concours étaient rendus publics. Trois jours plus tard, Gautier fit paraître le premier des textes qu'il consacra à cette étrange manifestation. Compte rendu sévère, son article dénonce un programme obscur, des directives vagues, mais conclut sur une note d'ironie qui ne pouvait échapper aux intéressés. Les concours éloignant « les maîtres qui ne veulent pas subir l'affront d'un jugement », l'absence d'Ingres et du Delacroix de *La Liberté* lui semble infiniment regrettable. À la rigueur, Delaroche lui-même aurait fait « une figure convenable. Sans vouloir assigner aucune manne politique à ces trois maîtres, l'on peut dire, en suivant l'ordre des couleurs du drapeau national, que M. Ingres eût fait la République bleue, M. Delaroche la République blanche, M. Delacroix la République rouge. La première eût été belle et sereine, la seconde tranquille et décente, la troisième forte et passionnée[6] ». Pour comprendre ce trait d'humour et la perception de Delacroix qu'il suggère, il faut se souvenir que les élections du 23 avril venaient d'envoyer neuf cents membres à la Chambre et que la Constituante était centriste dans son immense majorité. Gautier, non sans raison, classait Delacroix parmi les représentants du « centre gauche » cher aux « conservateurs progressistes ». À nouvelle assemblée, nouvelle commission exécutive. L'ancienne fut purgée de ses deux membres les moins désirables, Louis Blanc et l'ouvrier Albert. La popularité de Lamartine épargna à Ledru-Rollin une déchéance identique. Il perdait tout de même son ministère, au grand dam de George Sand, une de ses plus tenaces admiratrices. Le vent avait tourné. Si Carnot et Flocon étaient maintenus à l'Instruction publique et à l'Agriculture, le reste du gouvernement se préparait à enterrer la République sociale. L'arrivée du général Cavaignac au ministère de la Guerre donnait à ces hommes, aussi sincères que modérés, un sabre inflexible. Les effets d'un tel virage ne se firent pas attendre. Les clubs révolutionnaires, dont Hugo prenait la température depuis février, se soulevèrent le 15 mai, afin de manifester leur solidarité aux Polonais opprimés par la Prusse. Ils furent plus de 150 000 à marcher sur l'Assemblée. Complicité ou piège, la Garde nationale laissa les insurgés envahir la Chambre et improviser un coup d'État. Trois heures d'effroi, suivies par une évacuation musclée. Dans les jours qui suivirent, les meneurs furent arrêtés – Barbès, Blanqui, etc. C'est dans cette atmosphère que Delacroix reprit sa plume pour écrire à George Sand, après lui avoir expédié une réduction de sa *Cléopâtre* de 1839, cadeau empoisonné, si l'on ose dire, plein de l'amertume du moment.

La lettre ne ménage qu'à peine les sentiments de sa destinataire : « Votre ami [Jean-Jacques] Rousseau, qui, du reste, n'avait jamais vu que le feu de la cuisine, exalte

43. Ernest Meissonier, *La Barricade, rue de la Mortellerie, juin 1848*, dit aussi *Souvenir de guerre civile*, Salon de 1850-1851. Huile sur toile ; 29 x 22 cm. Musée du Louvre (RF 1942-31).

quelque part dans un accès d'humeur belliqueuse le mot d'un palatin polonais qui disait à propos de sa turbulente république : *Malo periculosam libertatem quam quietum servitium*. Ce latin veut dire : "Je préfère une liberté mêlée de dangers à une servitude paisible." J'en suis venu, hélas ! à l'opinion contraire en considérant surtout que cette liberté achetée à coups de batailles n'est vraiment pas de la liberté, laquelle consiste à aller et venir en paix, à réfléchir, à dîner surtout à ses heures et beaucoup d'autres avantages que les agitations politiques ne respectent pas. Pardonnez-moi mes réflexions rétrogrades, chère amie, et aimez-moi malgré mon incorrigibilité misanthropique[7]. »

Le retour des barricades

À mesure qu'un nouvel orage se préparait, le ton de la correspondance se fit plus sombre et dur envers « les prétendus réformateurs ». Les événements de juin n'allaient rassurer le peintre qu'en raison de l'implacable violence des troupes qui matèrent la plèbe en colère. Cela dit, la répression sanglante, exigée par Cavaignac, ne semble pas lui avoir inspiré les cris de joie du vieil Ingres ! Delacroix se contenta d'écrire à son ami Mornay, le compagnon de l'expédition marocaine de 1832, qu'il ne faisait pas bon peindre « dans un temps de barricades et de faux patriotisme. Ce ne sont pas des muses faites pour inspirer[8] ». Mais alors quelles sont les muses capables de redonner verve à ses pinceaux et vie au peintre ? La villégiature aristocratique en est une assurément. Qu'on aimerait en savoir plus sur le séjour que fit Delacroix à la mi-août au château de Groussay, près de Montfort-l'Amaury ! Les Mornay, très dévoués, le couvrirent d'attentions, au point que le peintre finit par regretter sa tranquillité. Mais l'on sent que ce faux Caton fut très sensible à l'accueil et au « luxe qui passe toute idée, rare ameublement, tableaux, tentures, dorures, voitures, etc.[9] ». La vie de château impose un rôle précis à chacun, individus comme tableaux, et fixe leur décor. Aussi certains des tableaux de fleurs, mis en chantier entre son retour et le début 1849, allaient-ils conserver trace de cette parenthèse princière et la prolonger en signe d'apaisement… Les premiers furent ébauchés dès septembre 1848 ; la nature commençait à décliner et à perdre ses couleurs. D'un autre côté, avec l'été, les plus gros dangers semblaient s'éloigner. C'est, du moins, ce que le peintre, retiré alors à Champrosay, aimait à penser. Bien sûr, Paris lui manquait, la société et les étreintes de Joséphine de Forget plus que tout[10].

ill. 5

44. Eugène Delacroix, *Jardin de la maison de l'artiste à Champrosay*, 1853.
Pastel ; 28,7 x 23,4 cm. Musée du Louvre, département des Arts graphiques (RF 32270).

donné à Fanny Legrillou
le 18 mai 1853 à
Champrosay
Eug Delacroix

À sa maîtresse, il écrit ses lettres les plus libres, et donc les plus belles. Ainsi, alors qu'il savoure les délices de Capoue chez Mornay : « Si je peux obtenir d'être relâché, je partirai bientôt et je t'arriverai comme une bombe, ainsi gare à mes rivaux[11]. » Sa cousine adorée se prête aussi aux confidences politiques depuis que les « troubles affreux de juin » rejettent son amant vers sa misanthropie. Joséphine est également la destinataire rêvée de ses difficultés à peindre. Après s'en être ouvert au fidèle Pierret dès la fin septembre, Delacroix va tenir Mme de Forget informée de la progression de son « entreprise très forte », peindre des fleurs malgré la menace du froid qui s'installe[12]. Chez le mélancolique, le rapport au temps et le rapport à soi sont frappés de la même instabilité. C'est précisément ce que les fleurs donnent à Delacroix le moyen de dire. Il fallait donc à la fois faire vite et se montrer à la hauteur du défi. Rien de banal ou de futile, donc, dans le choix de tels sujets, si éloignés soient-ils en apparence de la haute poésie des tableaux d'histoire. Et T.J. Clark a tort d'y lire une fuite heureuse, une réponse narcissique aux événements révolutionnaires et, au-delà, une négation du temps présent. Ces tableaux ont représenté un défi pour Delacroix autant qu'une façon de s'inscrire dans l'histoire en cours. Qu'il les ait destinés au Salon puis conservés sa vie entière le confirme. Ses lettres à Mme de Forget, du reste, sont révélatrices en ce qu'elles soulignent les enjeux esthétiques et nient l'évidence… Début octobre, sans nouvelles de sa « chère amie », il lui fait part de sa propre situation, faussement isolée : « J'ignore ce qui se passe à Paris, ne le recherchant pas, évitant même de le savoir. L'entreprise que j'ai en train est si lourde, vu la rapidité de la saison, que je ne veux pas être troublé par l'idée du désordre public ; en outre, j'ai des modèles qui se fanent du jour au lendemain et qui ne me laissent pas respirer[13]. » La suite de la lettre, après une admirable pirouette rhétorique, laisse entendre que l'isolement absolu du peintre ne relève pas moins des figures de style : « J'ai appris, malgré mon ignorance de toutes choses, que le prince Napoléon avait été installé à la Chambre, et que sa présence n'avait été l'occasion d'aucun désordre ; j'en ai été très content, surtout pour l'intérêt que vous lui portez[14]. » On retiendra deux choses de cette lettre cruciale, la façon dont Delacroix féminise ses modèles exigeants, et son désir aussi aiguisé de se mêler aux intrigues du clan Beauharnais, auquel Joséphine de Forget appartenait par sa naissance et ses visées. Le rapprochement s'opéra peu de temps après l'élection triomphale de Louis-Napoléon Bonaparte en décembre 1848.

À tous égards, le mois de février 1849 marque un tournant : Delacroix dîne enfin chez le prince président en compagnie de Joséphine, et il entretient abondamment son entourage de ses tableaux de fleurs, certains sont déjà en voie d'être confiés à son encadreur. À la table de Bonaparte, il ne rencontre pas que des orléanistes ralliés comme Thiers et Molé. Un célèbre botaniste compte parmi les invités du 14, comme nous l'apprend avec force détails le *Journal* : « J'ai eu une longue conversation après dîner avec Jussieu, sur les fleurs, à propos de mes tableaux. Je lui ai promis d'aller le voir au printemps. Il me montrera les serres [du Jardin des Plantes], etc. et me fera obtenir toute permission pour l'étude[15]. » Voilà pour le soin avec lequel Delacroix cherche à comprendre et à saisir la logique du vivant quel que soit le sujet à traduire. L'autre difficulté de « l'entreprise » consistait à tenir face aux maîtres anciens et aux praticiens actuels du genre, ces victimes de « la spécialité » qui faisait horreur à Gautier et à Baudelaire. Ce double défi occupe la longue et fameuse lettre que Delacroix adressait, le 6 février, au peintre et graveur Dutilleux. Entre artistes, pas de simagrées, on va droit au but. Glissons sur le début du document avant d'y revenir. Delacroix brûle en effet de parler de ses contemporains, les peintres dont il réfute la manière autant que le public auquel il s'apprête à s'adresser : « Vous avez la bonté de me parler des tableaux de fleurs que je suis en train d'achever. J'[y] ai [...] subordonné les détails à l'ensemble autant que je l'ai pu. J'ai voulu aussi sortir un peu de l'espèce de poncif qui semble condamner tous les peintres de fleurs à faire le même vase avec les mêmes colonnes ou les mêmes draperies fantastiques qui leur servent de fond ou de repoussoir. J'ai essayé de faire des morceaux de nature comme ils se présentent dans des jardins, seulement en réunissant dans le même cadre et d'une manière un peu probable la plus grande variété possible de fleurs. Je suis à présent dans l'inquiétude de savoir si j'aurai le temps de finir, car je n'ai pu encore m'y remettre, et il y a beaucoup à faire. S'ils sont finis à temps et comme je le désire, je les mettrai probablement au Salon. Il y en a cinq, ni plus ni moins[16]. » C'est parler à la fois en chef d'école et en coloriste, qui a lu son Roger de Piles et ne saurait sacrifier l'unité visuelle au fractionnement des motifs et des formes. Le *Journal* enregistre de fait la subtile alchimie au terme de laquelle le peintre parviendra à finir sa *Corbeille de fruits* sans l'assécher. Le 15 février, par exemple, on lit : « Je crois qu'en terminant, avant tout, ce qui n'est point fait du tout, les parties déjà avancées se trouveront terminées d'elles-mêmes[17]. »

ill. 45

Quelques semaines plus tard, le diariste se penche à nouveau sur la question du fini et de l'obsession descriptive de certains peintres, Rosa Bonheur en l'occurrence, dont la IIe République s'entiche alors : « Il y a dans la peinture autre chose que l'exactitude et le rendu précis d'après le modèle[18]. » Sans confondre la quête du réalisme avec celle du mimétisme illusionniste, comme le prouvent ailleurs ses superbes contemporaines sur *La Barricade* de Meissonier, Delacroix marque ses distances à l'encontre des acteurs de la nouvelle vague. Par leur sujet, délicat, et leur manière, raffinée ou théâtrale en diable, ses *Fleurs* allaient leur montrer ce qui sépare « un objet d'art d'un objet odieux », pour reprendre les termes de Boileau que le peintre paraphrase à dessein[19].

ill. 43

45. Eugène Delacroix,
Corbeille de fruits posée
dans un jardin de fleurs, 1848-1849.
Huile sur toile ; 108 x 143 cm.
Philadelphie, Philadelphia Museum of Art
(John G. Johnson Collection cat. 974).

Au cours des mois suivants, alors que les hésitations de l'administration et le climat insurrectionnel contribuent à retarder l'ouverture du Salon, il teste ses nouveaux tableaux sur des femmes qui comptent. En dehors de Mme de Forget, George Sand, Mme Bixio et Mme Mennessier – la fille de Nodier, l'un des astres du romantisme de 1820 – formèrent ainsi son premier public, le mieux préparé à en savourer l'érotisme particulier. Convaincre le public du Salon et la presse supposait d'autres stratégies. On sait que Delacroix se résolut, au dernier moment, à ne présenter que deux des cinq toiles, les plus formées, les plus composées, les plus conformes à ce qui devait être « la première exposition de la République[20] ». Le Salon libre de 1848 avait montré principalement la dernière moisson de la monarchie de Juillet. Un an plus tard, ce rendez-vous très attendu se déplaçait et s'installait aux Tuileries. Abordant en juillet le nouvel espace, Gautier n'avait caché ni son enthousiasme ni ses réserves. « Paris donne à l'art son plus beau palais[21] » ; mais cet écrin prestigieux se pliait mal à son affectation d'été. Regrettant que la République ne se soit pas dotée d'un lieu pérenne pour y loger le Salon, Gautier stigmatisa surtout les grands absents : « Ce n'est pas une raison, parce que les temps sont difficiles, de ne pas faire de belles choses ; qui donc représentera le génie humain entre la barbarie rouge et la barbarie blanche[22] ? » Si le jury avait été rétabli, il était désormais composé d'artistes élus démocratiquement ; il comptait à sa tête, du côté des peintres et dans l'ordre des votes, Léon Cogniet, Delaroche, Decamps, Delacroix, Vernet, Ingres, Robert-Fleury, Isabey, Meissonier, Corot et les vieux davidiens Abel de Pujol et Picot. Contrairement à *L'Artiste*, Gautier n'ironisa pas sur les fruits du suffrage universel puisque les envois reflétaient tous les « partis », sans exclusive.

ill. 45, 32, 41 et 51

Aux toiles de Delacroix, il fit une place dès son premier feuilleton consacré aux tableaux, après avoir salué ceux qui s'acharnaient à rajeunir le romantisme, Muller avec sa *Lady Macbeth* aux allures de Füssli, et Duveau, dont *La Peste d'Ellient* dépassait en horreurs *La Méduse* et *Les Massacres de Scio*. La transition était toute trouvée pour aborder Delacroix : « Cette année, par un caprice bien compréhensible chez un coloriste, il a envoyé à l'exposition deux grands tableaux de fleurs. Ces fleurs, vous l'imaginez bien, ne ressemblent pas aux fleurs de Van Spandonck [*sic*], encore moins à celles de Redouté, pas même à celles de Saint-Jean ; pour leur trouver des analogies, il faudrait remonter à Baptiste, à Monnoyer, ou plutôt encore aux tableaux de fruits et de fleurs de Juan de Avellaneda, et de Vélasquez[23]. » Il y aurait beaucoup à dire du commentaire de Gautier et de ses références moins hasardeuses qu'on le dit. Au-delà de Monnoyer, source évidente de Delacroix, elles servent à fixer une opposition où il s'est reconnu[24]. Pas question pour lui de suer sur la toile, contrairement à la bigoterie lyonnaise, afin de rendre une à une les nervures d'une feuille, chaque transparence et le moindre éclat de lumière, « facile tour de force que les peintres fleuristes se refusent rarement. C'est tout simplement une débauche de palette, un régal de couleur donné aux yeux. Ce qu'on peut louer aussi dans ces deux toiles, outre le mérite du ton, c'est le style imprimé aux fleurs, traitées ordinairement d'une façon toute botanique, sans s'inquiéter de leur port, de leur allure, de leur physionomie et de leur caractère[25] ».

En mettant en valeur la vocation décorative de ces vastes compositions florales, Gautier signalait leur baroquisme flatteur à l'attention des « heureux du temps », ces nouveaux seigneurs, autorisés à renouer avec les plaisirs de la vie. La parenthèse insurrectionnelle refermée, la République installée, rien n'interdisait aux peintres et aux amateurs de se retrouver autour d'une peinture fastueuse, à la fois tournée vers les anciens et vers l'avenir par son colorisme redoublé, la palette du peintre fusionnant avec celle de la nature. Avant de s'y aventurer, Delacroix consulta les vieux maîtres du genre. À ce titre, Gautier a bien noté la prégnance des modèles français des XVIIe et XVIIIe siècles. Le nom de Monnoyer, du reste, fixe un cadre de référence plus qu'une source unique. La correspondance et le *Journal* de Delacroix ne laissent aucun doute à cet égard. Le long développement que Gautier consacre aux *Fleurs* de Delacroix prolongeait, du reste, la série d'articles qu'il avait consacrés en février au nouveau Louvre, celui de Jeanron et Villot.

Dans l'ancien palais des rois de France, le nouvel accrochage des peintures fut, à l'évidence, l'un des événements les plus marquants de la politique culturelle de la jeune République[26]. Le Louvre, en quelques mois, s'était constitué en vitrine de l'art français, de ses origines mythiques à Géricault, phare de la modernité. Le 24 mars 1848, un décret avait transformé le Louvre en « palais du Peuple » et prévoyait son achèvement côté Rivoli ; ce même jour, Frédéric Villot, grand ami de Delacroix, rejoignait l'équipe de Jeanron. Dès août, le nouveau département des Peintures était partiellement livré au public : la Grande Galerie, dédiée aux écoles étrangères, et le Salon carré, où se concentrait la crème des chefs-d'œuvre. « Le Musée a pris un aspect tout nouveau, grâce à MM. Jeanron et Villot, et semble, depuis le remaniement opéré dans les peintures, dix fois plus riche qu'auparavant, écrivit Gautier. Les tableaux, autrefois, étaient accrochés çà et là à peu près au hasard[27]. » Le magasin de curiosités s'était mué en lieu d'étude, où chaque école était montrée en mouvement. L'accrochage avait surtout pour ambition d'établir la suprématie de la peinture française depuis la fin du règne de Louis XIV. C'était situer le romantisme au terme d'une évolution que David et les siens avaient asséchée plus que revitalisée. Dès avant l'ouverture publique, fixée le 27 août 1848, l'accrochage blasphématoire avait suscité un débat houleux. Villot et Jeanron avaient osé

46. Eugène Delacroix, *Bouquets de fleurs dans deux vases*, vers 1848-1849. Huile sur carton ; 45 x 59 cm. Brême, Kunsthalle (796-1959/15).

47. Eugène Delacroix, *Bouquet de fleurs*, vers 1848. Aquarelle sur traits de graphite ; 20 x 26 cm. Montpellier, musée Fabre (876.3.101).

séparer David, Girodet et Gérard de Raphaël, Titien et Rubens pour les confronter, ailleurs, à la jeune école romantique. Parce que le danger d'un recul était encore possible au début du mois d'août, Delacroix s'adressa au sculpteur Préault, le 8, afin d'associer Gautier à leur cause : « Je veux vous parler de notre ami Villot et de son arrangement du Louvre. [...] L'Institut a déjà fait siffler ses serpents à l'occasion de ce remaniement, dans lequel on ne verra plus les Gérard et les Girodet à côté du Corrège, etc., et il y a cabale contre notre ami. Un mot comme vous savez les dire à nos amis de la presse. Nous combattons ici pour la patrie, car je suppose que votre patrie à vous, c'est Rubens, Titien, etc. [...] Villot ouvrira probablement le 15, c'est-à-dire dans peu de jours. Parlez donc à Gautier, si vous pouvez[28]. » Gautier s'exécuta à partir de février 1849, nous l'avons dit. Sans doute est-ce l'ouverture de la « galerie française », très controversée, qui emporta son adhésion. C'était, à l'évidence, la partie la plus originale du grand remaniement. La « galerie française » débutait au seuil de la salle des Sept-Cheminées, pendant du Salon carré au-delà de la galerie d'Apollon.

À travers le musée Charles-X, doublant les salles d'art égyptien, les nouvelles salles prenaient le jour du côté de la Seine. Après avoir combattu la queue du néoclassicisme en 1830, Gautier s'en prenait désormais à David lui-même, non sans nuances évidemment, séparant les débuts virils, réalistes, de son académisme final : « Malheureusement, le vrai sens de l'antique, si souvent invoqué à cette époque, a manqué à David comme aux littérateurs, comme aux poètes et même comme aux hommes politiques de son temps[29]. » En parcourant les salles qui se succèdent, panorama sans précédent de la peinture française entre 1715 et les années 1820, il n'élut que de rares noms, les esquisses de Pierre Subleyras, les silences mystérieux de Chardin, le chenil de Jean-Baptiste Oudry, les fêtes galantes de Nicolas Lancret, les marines plus ou moins tempétueuses de Joseph Vernet et « les peintres de Diderot ». Il y avait là de quoi être fier du passé national et confiant en l'avenir : la France était bien le seul pays où le « divin flambeau » n'avait cessé de briller. « Aux époques les plus déplorables, le feu sacré fut secrètement entretenu par des hommes tels que Prud'hon, Géricault, Sigalon. » Gautier concluait, fin politique, en opposant les bonnes aux mauvaises insurrections.

Comment ne pas souscrire à la révolution menée par Villot ? Toute une génération de nouveaux artistes, Manet compris, y ferait ses classes. À l'évidence, par leur côté « Grand Siècle » festif et sonore, les tableaux de fleurs destinés au Salon de 1849 faisaient de Delacroix l'héritier direct des peintres qui travaillèrent en leur temps pour Versailles et le Trianon. Plus que tous les autres, *La Corbeille de fleurs renversée* en concentre et bouscule le souvenir. L'abondance de la nature et la profusion des espèces, loin de chanter seulement l'ordre éternel, symbolisent une gourmandise

ill. 51

48. Eugène Delacroix, *Étude de fleurs : marguerites blanches et zinnias.*
Aquarelle et gouache sur traits de graphite ; 25 x 20 cm. Musée du Louvre, département des Arts graphiques (RF 3440).

49. Eugène Delacroix, *Étude de fleurs : soucis et roses d'Inde*, 1848. Graphite ; 25,5 x 38 cm. Paris, collection Prat.

50. Eugène Delacroix, *Étude de fleurs : jasmin de Virginie*, vers 1848-1849. Graphite ; 26 x 39,5 cm. New York, Jill Newhouse Gallery.

des sens, voire un dérèglement contraire à l'esthétique classique. Les ordonnances guindées de la peinture décorative se voient comme saisies d'une ivresse incontrôlable, qui évoque moins les bouquets royaux que les rapts mythologiques les plus crus. Que dire en effet des singulières turgescences de la partie gauche, de la silhouette prédatrice de l'arbuste, que dire de la corbeille comme saisie en pleine chute ? « Les fleurs ont chacune leur expression particulière, il y en a de gaies, de tristes, de silencieuses, de bruyantes, d'effrontées, de modestes, de pudiques et de lascives, d'épanouies et de balsamiques ; elles ont des attitudes spéciales, des coquetteries et des fiertés à elles[30]. » Gautier fut le seul à dire, en termes fleuris, cette érotisation du grand Pan, sans suite avant Gauguin, Picasso et Masson. La République n'était pas si mauvaise fille.

1. Voir, par exemple, cat. exp. Paris et Philadelphie, 1998-1999, p. 127-130.
2. Sur le thème de la fuite hors du politique, voir le livre canonique, mais vieilli dans sa documentation et son argumentation manichéenne, de T.J. Clark (Clark 1936).
3. Delacroix à George Sand, mars 1848, in Delacroix, *Correspondance*, II, p. 344.
4. Voir les précisions de Michèle Hannoosh in Delacroix, *Journal*, I, p. 410.
5. Eugène Delacroix, « Gros » in *La Revue des deux mondes*, 1er septembre 1848.
6. Théophile Gautier, « Concours pour la Figure de la République », *La Presse*, 21 mai 1848.
7. Delacroix à George Sand, 28 mai 1848, in Delacroix, *Correspondance*, p. 349-350.
8. Delacroix au comte de Mornay, 8 août 1848, *ibid.*, p. 356-357.
9. Lettre à Mme de Forget, 15 août 1848, *ibid.*, p. 358-360.
10. Sur leurs rendez-vous charnels, le *Journal* de 1849 ne laisse aucun doute. Mais l'histoire de l'art n'en a cure.
11. *Ibid.*
12. Delacroix à Pierret, 29 septembre 1848, in Delacroix, *Correspondance*, p. 368.
13. Delacroix à Mme de Forget, 3 octobre 1848, *ibid.*, p. 369.
14. *Ibid.*
15. Delacroix, *Journal*, p. 420. Adrien de Jussieu (1797-1853), exact contemporain du peintre, suivait la carrière de son père, le célèbre « classificateur ».
16. Delacroix à Constant Dutilleux, 6 février 1849, Delacroix, *Correspondance*, p. 372-374.
17. Delacroix, *Journal*, p. 421.
18. *Ibid.*, p. 427-428.
19. *Ibid.*
20. Sur le Salon de 1849, on se reportera au beau travail de James Kearns, voir Kearns 2007a, p. 97-121.
21. Théophile Gautier, « Feuilleton de *La Presse*. Salon de 1849. Premier article », *La Presse*, 26 juillet 1849.
22. *Ibid.*
23. Théophile Gautier, « Feuilleton de *La Presse*. Salon de 1849. Cinquième article », *La Presse*, 1er août 1849.
24. Sur l'influence de Monnoyer, voir cat. exp. Karlsruhe, 2003-2004, p. 282-283.
25. Théophile Gautier, « Feuilleton de *La Presse*. Salon de 1849. Cinquième article », art. cité.
26. Voir Kearns 2007b, vol. CII, n° 1, p. 58-73.
27. Théophile Gautier, « Feuilleton de *La Presse*. Le Musée ancien », *La Presse*, 10 février 1849.
28. Delacroix, *Correspondance*, p. 355-356.
29. Théophile Gautier, « Feuilleton de *La Presse*. Le Musée ancien », art. cité.
30. Théophile Gautier, « Feuilleton de *La Presse*. Salon de 1849. Cinquième article », *op. cit.*

51. Eugène Delacroix,
Corbeille de fleurs renversée dans un parc,
1848-1849 (détail, voir ill. 32).
Huile sur toile ; 107 x 142 cm.
New York, The Metropolitan Museum of Art,
legs de Miss Adelaide Milton de Groot (67.187.60).

« Chaque fleur est pour moi une sorte d'antidote contre la dépression et contre l'angoisse »

Johan Creten

entretien avec Christophe Leribault

C. L. : En tant que sculpteur, vous avez la particularité de pratiquer surtout la céramique et la terre cuite. Comment cela vous est-il venu, et comment placez-vous ce médium par rapport à d'autres ?

J. C. : Je suis belge flamand. Au début des années 1980, quand j'ai commencé à faire mes études de peinture aux Beaux-Arts de Gand, j'ai découvert une école saturée d'étudiants, sauf dans un seul lieu, un peu à l'écart, où il n'y avait presque personne, juste deux femmes qui travaillaient dans un coin : c'était l'atelier de céramique. Non seulement j'ai découvert qu'il y avait de l'espace dans cet endroit, mais j'y ai aussi rencontré une matière humide, sale, sensuelle, qui me parlait de façon directe. J'ai donc commencé à fabriquer des objets en terre que j'ai utilisés dans mes peintures,

52. Eugène Delacroix, *Étude de deux iris et d'un crâne*.
Aquarelle sur traits de graphite ; 13,7 x 9,5 cm.
Musée du Louvre, département des Arts graphiques (carnet, RF 9153, f° 24v).

et ce n'est que plus tard que j'ai vraiment commencé à pratiquer la sculpture. En Belgique, travailler la céramique était un vrai tabou dans le monde de l'art contemporain, et ça l'est resté pendant très longtemps. Aujourd'hui, nombreux sont les jeunes artistes en France et ailleurs qui ont découvert cette matière, et pour eux il n'y a plus cet interdit.

C. L. : Alors est-ce la raison du passage à présent au bronze ?

J. C. : En plaisantant, je dirai que la céramique est devenue tellement branchée qu'il y a aujourd'hui trop de monde dans ce créneau, c'est pourquoi je m'attaque au bronze et je reviendrai à la terre quand ça se sera un peu calmé – sauf que, pour l'exposition que je prépare à la Galerie Perrotin en janvier 2013, il n'y aura de nouveau que des pièces en céramique. Je pense avoir vraiment contribué à ce mouvement de retour à la céramique dans l'art contemporain.

C. L. : En fait, ce sont des procédés de céramique très variés, il y a aussi bien de la terre cuite que du biscuit, du grès…

J. C. : Quand j'ai senti qu'il m'était impossible de me faire reconnaître en Belgique avec ce type de travail, mon regard s'est porté vers la France. Une des premières expositions que j'y ai faites s'est déroulée à la villa Arson à Nice qui, à ce moment-là, était un des lieux les plus importants pour l'art contemporain le plus pointu. Ainsi, quand j'y étais, il y avait Kippenberger. Quelqu'un comme Christian Bernard a pu me dire : « Regarde, je te donne tout l'espace que tu veux… On a un four qui n'a pas beaucoup servi à l'école, fais des choses et je vais les montrer ici dans mon centre d'art[1]. »Et ça a donné naissance à un périple de plus de vingt ans, au cours duquel je suis passé d'un endroit à un autre, ce qui est un peu bizarre parce que, quand on travaille la terre, normalement, on reste sur place, on est lié à un atelier et on ne bouge plus. Moi, j'ai migré d'un lieu à un autre. Si quelqu'un me disait : « À l'usine de Kohler dans le Wisconsin il y a une possibilité de faire des choses en porcelaine », je partais au Wisconsin faire des choses en porcelaine. Quand je suis allé à la villa Médicis à Rome, dans un garage du jardin il y avait un four qui avait servi à Jeanclos. Je l'ai remis en état, et j'ai fabriqué des choses en terracotta italienne. À Miami on trouvait une autre sorte de terre ; au Mexique, j'ai été confronté à encore d'autres types de matériaux. À la manufacture de Sèvres, il y avait ce grès qui n'avait pas été utilisé depuis soixante ans. Je trouvais excitant d'aller d'un endroit à l'autre.

53. Johan Creten, *La Vulve Grotesque*, 2005-2012. Grès émaillé ; 35 x 25 x 9 cm.
Collection privée. Courtesy Johan Creten et Galerie Perrotin, Hong Kong & Paris.

Non seulement cela poussait le contenu de mon travail, mais, sur le plan technique, j'explorais à chaque fois une nouvelle terre, de nouveaux émaux, de nouveaux types de cuisson, etc. Je n'ai jamais eu de véritable formation à la céramique parce que je n'ai jamais suivi de cours, je ne savais pas comment allumer un four, ce que c'était que les émaux, alors j'utilisais ça de façon beaucoup plus naturelle. Quand je suis arrivé au Mexique et que je me suis retrouvé face à une terre nouvelle, j'ai commencé à la travailler, elle m'a parlé directement.

C. L. : Sans jeu de mots, vous mettez toujours la main à la pâte, c'est-à-dire qu'on vous voit toujours en train de modeler quelque chose.

J. C. : J'adore faire les choses moi-même. Maintenant ça évolue, surtout aujourd'hui où je me consacre davantage aux sculptures en bronze. Mais *a priori* je fais les choses moi-même, ce qui signifie que chaque fleur porte mes empreintes digitales, chaque pièce est unique, chaque émaillage est fait de mes mains. En conséquence, j'ai une production relativement limitée pour le milieu, alors qu'aujourd'hui les artistes possèdent d'énormes ateliers avec de nombreux assistants, qui ont de grandes capacités de production. Mes œuvres sont assez peu nombreuses et à chaque fois, ou presque, faites par moi-même, ce qui est une position un peu atypique aujourd'hui mais que je pense pleine d'avenir.

C. L. : En tout cas c'est assez touchant de vous retrouver dans votre atelier avec la terre d'un côté, des monceaux de fleurs déjà prêtes de l'autre, et de vous voir continuer à en modeler de nouvelles tout en parlant.

J. C. : Les pièces florales que je crée depuis 1987, je les attaque quand je suis très déprimé, comme par exemple les bustes avec les fleurs de la série *Odore di Femmina*. Faire les fleurs demande une certaine concentration, mais me permet aussi de réfléchir. Chaque fleur qui va naître de mes mains est une image de beauté pure et simple, et pour moi c'est une sorte d'antidote contre la dépression et contre l'angoisse. Souvent je commence les pièces avec des fleurs quand je suis dans une impasse, et créer ces fleurs m'offre une porte de sortie.

54. Johan Creten, *Vulve de roses – Odore di Femmina de Sèvres*, 2005.
Biscuit de porcelaine de Sèvres ; 30 x 19 x 5 cm. Collection privée. Courtesy Johan Creten.

55. Johan Creten, *Odore di Femmina – The New Wound*, 2012.
Grès émaillé ; 99 x 52 x 45 cm. Courtesy Johan Creten et Galerie Perrotin, Hong Kong & Paris.

56. Johan Creten, *Odore di Femmina – Russian White*, 2012.
Grès émaillé ; 75 x 40 x 38 cm.
Courtesy Johan Creten et Galerie Perrotin, Hong Kong & Paris.

57. Johan Creten, *Odore di Femmina – Russian White*, 2012, détail.

58. Johan Creten, *Odore di Femmina – Russian White*, 2012, détail.

C. L. : Il y a une dimension sensuelle dans la fleur, dans le bouquet de fleurs et aussi dans votre travail sur la terre. Ce titre Odore di Femmina *est bien tiré de* Don Giovanni ?

J. C. : Effectivement, Don Giovanni est seul sur scène et il est attiré par « l'odore di femmina », qui est cette essence même de la femme. Ce n'est ni le parfum ni l'odeur corporelle. Pour moi, c'est comment faire une sculpture sur ce qui nous rend, nous les hommes, différents des femmes. Rosa Martínez a très bien écrit sur ces sculptures-là[2]. C'est comme ça que je suis arrivé à cette série de bustes qui, au début, étaient souvent émaillés en noir, et qui de loin ressemblaient à des tas de moules sur des morceaux de rocher. Je les ai montrés pour la première fois dans un lieu de quarantaine, sur le brise-lames de Sète[3], ce qui a permis d'aborder ces œuvres sous différents angles : le lien entre la mère et la mer, si joli en français, le lien Broodthaersien entre ces bustes et la Belgique. Les premiers visiteurs de l'exposition devaient prendre un petit bateau à Sète jusqu'au brise-lames où, dans les anciennes cellules de la quarantaine, on pouvait trouver ces œuvres, ce qui nous ramène à l'idée de la mort et des fleurs, et au grand tabou de toucher la terre, qui est la mère – on dit *mother earth* –, celle que tu ne touches pas. Là on part sur plein de pistes qui me semblent importantes. Le tabou de la terre, c'est aussi parce que la terre c'est la matière fécale par excellence, donc celui qui y touche, l'ouvrier, le paysan, est quelqu'un de brut et d'inculte. Ça rejoint aussi le mythe du premier sculpteur qui prend un morceau de glaise, en fait une figure humaine, la cuit et se prend pour Dieu.

C. L. : C'est la mythologie de l'artiste. D'ailleurs vous êtes finalement amené à sculpter des bustes de Vénus, dans la grande tradition de la sculpture. En même temps, de près, ces bustes sont un peu inquiétants, voire coupants, ils sont blessés.

J. C. : Effectivement, je reviens à un prototype qui est ce buste classique, une femme sans tête ni bras ni jambes, donc quelque chose d'extrêmement fragile couvert de ces fleurs, ce qui fait que la sculpture au premier abord semble intouchable, elle a l'air sublime parce qu'elle incarne l'idée de la beauté, elle est très belle et très séduisante, par ces fleurs, par ce travail délicat. C'est une grande image de la beauté, mais au même moment elle semble aussi intouchable, car tellement fragile. En la regardant, chacun éprouve un sentiment de séduction et de répulsion parce qu'on a peur de

59. Johan Creten, *Génie*, 2009-2010. Bronze patiné, fonte à la cire perdue ; 212 x 69 x 48 cm.
Courtesy Johan Creten et Galerie Perrotin, Hong Kong & Paris.

60. et 61. Johan Creten, *Le Rocher*, 2009-2010. Bronze à la cire perdue, bronze soudé avec système mécanique, élément en bronze patiné et doré. Une porte mécanique donne accès à l'intérieur de la sculpture ; 263 x 72 x 72 cm. Collection privée. Courtesy Johan Creten et Galerie Perrotin, Hong Kong & Paris.

l'abîmer si on la touche. Les hommes qui la transportent effectivement se blessent souvent : ou bien ils blessent la sculpture, ou bien ils se blessent eux-mêmes. Quand on casse l'une des feuilles ou l'un des pétales de fleur, je dis toujours qu'il ne faut pas recoller ni restaurer, mais juste retoucher. *There is a scar* [une cicatrice], je veux dire par-là qu'il faut que cette plaie se noie dans la masse de fleurs, que l'image de la blessure se fonde dans l'image générale de la sculpture. C'est comme dans les rapports humains : tu te blesses, mais ces blessures se fondent dans une image générale. On dit plein de choses sur les rapports humains par la tactilité de la sculpture qui a l'air très fine et très fragile, et quand tu la touches, c'est extrêmement tranchant, c'est beaucoup plus rigide et plus dur qu'on ne le pense, c'est une matière qui résiste à tout, comme les femmes, ou comme les rapports humains. Donc il y a la beauté, la fragilité, l'« intouchabilité », la matière, et aussi, le fait que de loin ça ne ressemble pas forcément à des fleurs, mais, en fonction de l'émail et de la forme, ça peut ressembler à un rocher avec des moules. On revient à cette idée de mer/mère et de la moule qui, en flamand, et en français aussi je crois, est quelque chose d'extrêmement vulgaire et sexuel. On peut y voir aussi comme une masse de charbon. Dans une

62. Johan Creten, *Odore di Femmina – The sun was greater at its setting*, 2012.
Fonte de bronze à la cire perdue et bronze soudé ; 83 x 60 x 42 cm. Courtesy Johan Creten et Galerie Almine Rech.

des dernières sculptures que je vais montrer au musée, un buste qui est par contre en bronze patiné, les fleurs sortent de la sculpture comme un nuage et forment une masse semi-transparente au-dessus. Dans les fleurs, il y a aussi une dimension de fertilité et là il y a vraiment une nouvelle piste dans la série.

C. L. : Il y a aussi chez Delacroix des fleurs un peu blessées puisque l'on est dans l'ordre de l'intimité. Quelques-uns de ces tableaux ont été conçus pour le Salon à un moment de doute face à l'histoire, mais la plupart sont des œuvres intimes peintes pour lui-même ou pour ses amis, un peu en contradiction avec l'idée que son public pouvait avoir de ses aspirations d'artiste.

J. C. : Je ne connaissais d'ailleurs pas ses tableaux de fleurs, mais quand on les a regardés ensemble, j'ai été frappé par leur côté très dense. Pour moi, ces peintures de Delacroix ont une odeur de fleurs un peu bizarre, une odeur un peu lourde, comme dans certains jardins de vieilles dames.

C. L. : En parcourant son œuvre, un tableau vous a plus particulièrement marqué, celui qui représente Milton dictant le Paradis perdu *à ses filles (Zurich, Kunsthaus).*

ill. 17

J. C. : Si on le décrit, c'est un vieux monsieur aveugle assis à côté d'une table avec un tapis, un grand bouquet de fleurs et deux jeunes filles à ses côtés. J'aurais aimé avoir ce tableau en écho dans l'exposition, parce que justement ce lien entre le toucher, l'odeur, la jeune fille, le bouquet de fleurs et le poète – le souvenir du vieillard aveugle qui quand même sent toutes ces choses-là –, je trouvais ça très puissant.

C. L. : Que cela fait-il de montrer ses propres œuvres dans le secret de l'atelier de Delacroix ?

J. C. : C'est une confrontation un peu intimidante, bien que j'aie l'habitude des rencontres avec l'art ancien depuis mes premières expositions, dont l'une s'appelait « Kunstkamer[4] », et une autre « L'Œil de l'antiquaire[5] ». Mes expositions se sont souvent déroulées dans des lieux historiques, aussi bien dans un château Renaissance comme celui de Chareil-Cintrat en Auvergne[6] que, beaucoup plus tard, au Louvre, avec les œuvres de Bernard Palissy[7]. L'idée de confronter mon travail avec l'histoire permet au spectateur de tisser d'autres liens, c'est quelque chose que j'ai toujours recherché. Dans cette optique-là, cette exposition fait donc partie d'un parcours, mais ça reste quand même extrêmement intimidant. Surtout que là ce sont des fleurs qu'on va mettre avec des fleurs, ce qui n'était pas le cas dans les confrontations précédentes, qui étaient d'un autre ordre. Ici ce sera aussi une confrontation formelle. Je ne sais pas comment elle va marcher, mais je vous fais confiance, je pense que vous avez bien réfléchi aux raisons pour lesquelles vous exposez ces bustes, ces pièces murales à côté de telle et telle peinture de Delacroix. D'ailleurs, quand vous avez comparé un grand bouquet sans vase de Delacroix à un feu d'artifice, cela m'a amusé parce que la série de reliefs de fleurs que j'ai faite avant celle qu'on va montrer au musée s'appelait justement « Fire-Works », avec cette idée d'explosions de fleurs...

1. *Johan Creten*, Nice, galerie de la villa Arson, 1993.
2. *Johan Creten. Odore di Femmina*, New York, galerie Robert Miller, 1998.
3. *En quarantaine, installation*. Sète, brise-lames, 1991.
4. *Kunstkamer. Installation and Performance*, Paris, galerie Meyer, 1988.
5. *L'Œil de l'antiquaire*, Louvain, galerie Transit, 1990.
6. *La Mort d'Adonis*, château de Chareil-Cintrat (Auvergne), 1994.
7. *Contrepoint. De l'objet d'art à la sculpture – Porcelaines contemporaines*, musée du Louvre, 2005.

63. Johan Creten, *Odore di Femmina de Sèvres*, 2006. Torse en biscuit de porcelaine chamottée de Sèvres ; 93 x 55 x 34 cm. Vue de l'exposition « Contrepoint – De l'objet d'art à la sculpture – Porcelaines contemporaines » au musée du Louvre, Paris, 2005. Collection privée. Courtesy Johan Creten.

64. Johan Creten, *Wallflowers IV – Fire-Works on a Dark Sky*, 2012.
Grès émaillé, lustres colorés et or ; 97 x 74 x 25 cm.
Courtesy Johan Creten et Galerie Perrotin, Hong Kong & Paris.

65. Eugène Delacroix, *Bouquet de fleurs*.
Aquarelle, gouache et pastel sur traits de graphite ; 65 x 65,4 cm.
Musée du Louvre, département des Arts graphiques (RF 31719).

66. Johan Creten, *Wallflowers IV – Fire-Works on a Dark Sky*, 2012, détail.

67. Johan Creten, *Wallflowers IV – Fire-Works on a Dark Sky*, 2012, détail.

68. Johan Creten, *Wallflowers II – For Vincent – Night Sky*, 2012.
Grès émaillé, lustres ; 98 x 73 x 18 cm. Courtesy Johan Creten et Galerie Perrotin, Hong Kong & Paris.

69. Johan Creten, *Wallflowers III – Fire-Works on a White Sky*, 2012.
Grès émaillé, lustres colorés et or ; 95 x 69 x 15 cm. Courtesy Johan Creten et Galerie Perrotin, Hong Kong & Paris.

70. Johan Creten, *Wallflowers V – Herfst*, 2012, détail.

71. Johan Creten, *Wallflowers V – Herfst*, 2012.
Grès émaillé, lustres or ; 100 x 75 x 25 cm. Courtesy Johan Creten et Galerie Perrotin, Hong Kong & Paris.

« Les fleurs ont été les premières images »

Jean-Michel Othoniel

entretien avec Christophe Leribault

C. L. : Puisque vous allez intervenir dans un musée, ce qui n'est pas la première fois, revenons sur la façon dont vous vous situez par rapport à cette idée. Déjà en 1987, vous vous immisciez au Jeu de Paume ?

J. M. O. : Oui, c'était sur les traces de l'*Olympia* de Manet. C'est pertinent de ramener ces interventions à cette période-là, car cela correspond aussi à un moment où, en tant que jeune artiste, il n'y avait pas beaucoup de lieux pour exposer. Cette idée d'exposer dans des musées qui n'étaient pas consacrés à l'art contemporain, c'est une réaction qui s'est développée à la fin des années 1980 pour trouver de nouveaux territoires, et donc exposer dans les interstices que laissait une scène qui était très figée, très officielle, puisque à l'époque l'idée même de jeune artiste, de jeune galerie, de jeune collectionneur n'existait pas vraiment, on était un jeune artiste à cinquante ans, en gros, on entrait dans une lignée, et le musée représentait l'accomplissement d'une carrière. Donc, à cette époque-là, plusieurs artistes de ma génération ont commencé à essayer d'infiltrer les musées, ça pouvait aussi être des artistes beaucoup plus âgés mais qui aimaient cette notion d'*underground*, comme Paul-Armand Gette, par exemple, qui exposait dans les toilettes du Centre Pompidou – il était présent au

72. Eugène Delacroix, *Pavot, pensée et anémone*, vers 1845-1850.
Aquarelle sur traits de graphite ; 31 x 20,9 cm. Musée national Eugène-Delacroix (MD 1980-1).

musée tout en n'étant pas invité par le musée. Donc il y avait cette idée d'infiltration, consistant à trouver de nouveaux territoires, avec des conservateurs qui jouaient le jeu. Par exemple, au Jeu de Paume, Alfred Pacquement m'avait autorisé à épingler un papillon sur les traces de l'*Olympia* – à l'époque je travaillais beaucoup avec des papillons épinglés aux murs. Il m'avait ouvert les portes du musée – là, c'était encore plus compliqué – à un moment où le musée était fermé au public, donc la seule trace qui reste de cette intervention est une photographie qu'il m'a permis de prendre. À cette époque-là, nous sommes intervenus dans des musées comme le musée Bonnat : on était un groupe d'artistes, on proposait un thème en fonction d'un lieu et on intervenait en essayant d'avoir une certaine pertinence par rapport à la collection, mais dans le but que le conservateur nous permette d'exposer. Nous cherchions à élargir le territoire – il n'y avait pas encore de centres d'art, ni de FRAC, il n'y avait pas de lieu pour la jeune création – donc l'idée de s'immiscer dans les collections est venue au départ des problématiques d'artistes. Auparavant, des artistes comme Marcel Broodthaers avaient créé des fausses collections pour entrer dans le musée, il y avait le désir d'élargir le champ de l'art… Cela s'est fait avec des artistes mais aussi avec de jeunes conservateurs ou des écrivains, des gens qui écrivent sur l'art comme Bernard Marcadé, ou plus tard Marie-Laure Bernadac, au Louvre.

*C. L. : L'*Olympia *date de 1863, année de la mort de Delacroix. Mais ce que vous avez épinglé, c'était la trace de l'emplacement du tableau de Manet sur le mur ?*

J. M. O. : Oui, j'ai fait plein de photos des traces avant la fermeture du musée, que d'ailleurs je n'ai jamais utilisées, notamment des toiles de Gauguin dont on ne voit que la trace, c'est comme un musée fantomatique.

C. L. : Beaucoup plus tard vous intervenez sur les collections mêmes d'un des musées de Rochefort, la maison de Pierre Loti.

J. M. O. : Là c'est un peu la même situation, c'est un musée qui n'est pas du tout destiné à l'art contemporain et qui en plus n'a pas de place disponible, c'est vraiment une maison. C'est un peu la même problématique que dans l'atelier de Delacroix, il y a très peu d'espace disponible pour une intervention contemporaine. C'est une idée qui m'est venue en visitant les réserves du musée Loti : j'ai vu ces petites marionnettes jamais exposées qu'avait faites Pierre Loti enfant et, quand la ville de Rochefort m'a demandé d'imaginer une grande chose autour de ce musée, avec

73. Jean-Michel Othoniel, *Rivière blanche*, 2004. Verre de Murano, acier ; 320 x 180 x 90 cm.
Paris, musée d'art moderne de la Ville de Paris. Vue durant l'exposition « Contrepoint », Louvre, 2004.

l'idée de monter une exposition qui ne serait pas obligatoirement à l'intérieur du musée, je leur ai proposé de remettre en scène ce petit théâtre – ils ont accepté. Et là ce qui m'intéressait c'était le côté coulisses, travailler avec les conservateurs, dans les réserves, et essayer de trouver une idée ensemble, comment intervenir sur un lieu déjà très plein et surtout arriver à raconter une histoire qui serait en même temps un dialogue avec l'écrivain, la personne qui est le sujet du musée. C'est un peu ce que j'ai fait aussi au Louvre, dans la salle de Khorsabad, c'était encore une fois un dialogue avec les conservateurs. Cela m'a beaucoup amusé d'aller voir dans les réserves les colliers de perles qui étaient réellement portés à l'époque mésopotamienne, ce que voulaient dire culturellement ces perles, à quoi elles servaient, et puis, grâce à ces échanges, j'ai rencontré la déesse Ishtar, son histoire, et j'ai travaillé autour de cette figure, puis j'ai écrit une sorte de scénario nourri de ces rencontres. J'aime non seulement explorer de nouveaux espaces mais aussi dialoguer avec d'autres personnes du monde de l'art, qui n'est pas forcément celui de l'art contemporain, donc aussi arriver à créer des ponts pour que les œuvres aient une résonance aussi bien au niveau classique qu'au niveau contemporain.

C. L. : L'ancien pensionnaire idéal de la villa Médicis, le dialogue des arts...

J. M. O. : C'est vrai que cette curiosité est liée à mon séjour à la villa Médicis et c'est aussi pour cette raison qu'on se rencontre sur ce projet-là parce qu'il y a cette idée de croisement, qui est le principe même de la Villa. Ce qui m'a excité, quand j'ai monté les projets avec Marc-André Dalbavie et Cécile Reynaud, c'est de découvrir ce que signifie être un artiste contemporain au regard de spécialistes d'autres domaines, qui ont une autre vision du monde mais qui sont de ma génération, et de confronter ces visions. Qu'est-ce que ça veut dire la création pour un compositeur de musique contemporaine, pour un historien de l'art, pour un poète, je trouve que c'est ça qui est intéressant, parce que nous nous trouvons tous au même moment, au même endroit, et voir d'où vient notre énergie, notre pensée, nos choix. Pourquoi les fleurs de Delacroix aujourd'hui, qu'est-ce que ça veut dire aujourd'hui, c'est ça qui est important.

C. L. : Mais au-delà de ces intrusions dans les musées, la Villa nous amène aux interventions dans les jardins qui sont aussi très présents dans ce que vous avez fait ?

J. M. O. : Ma passion pour les jardins et les fleurs, c'est vraiment quelque chose qui me vient de l'adolescence, en rapport très étroit avec mon oncle. C'était quelqu'un

74. Jean-Michel Othoniel, *Fontaine*, 1999.
Verre de Murano ; 35 x 15 x 15 cm.
Collection de l'artiste. Vue de l'exposition de l'artiste dans les jardins du Generalife, Grenade, 1999.

75. Jean-Michel Othoniel, *Le Petit Collier*, 1999.
Verre de Murano ; 13 x 40 x 94 cm. Collection privée.
Vue de l'exposition de l'artiste dans le Patio de los Arrallanes, L'Alhambra, Grenade, 1999.

de très érudit qui aimait la botanique et qui m'a fait découvrir très tôt les fleurs, la fabrique des fleurs, qui m'a nourri de textes autour des jardins. Et cette passion pour les jardins s'est développée depuis l'adolescence jusqu'à un moment très important pour moi, celui de la villa Médicis où j'ai pu visiter tous les jardins autour de Rome. Auparavant, c'est vrai que j'étais intervenu dans les jardins du Generalife, à l'Alhambra, puis, au moment de la Villa, dans le jardin de Peggy Guggenheim à Venise. Ce rapport aux jardins s'est vraiment concrétisé lors de mon séjour à la villa Médicis parce qu'il y avait une sorte d'évidence que l'Italie c'était les jardins, pour moi en tout cas…

C. L. : Et le verre de Murano ?

J. M. O. : Ma passion pour le verre est née un peu avant, mais Murano a été l'occasion de la réaliser à cause de la proximité, et puis il y a eu le projet d'exposition à Rome, dans la Villa.

76. Jean-Michel Othoniel, *Sans titre (Les Sabots de Vénus)*, 1996.
Verre de Murano ; 26,5 x 11 x 12,5 cm. Collection de l'artiste.
Vue durant l'exposition de l'artiste à la villa Médicis, Rome, 1996.

77. Jean-Michel Othoniel, *Sans titre (Les Sabots de Vénus)*, 1996.
Verre de Murano ; 26 x 24 x 14 cm. Collection de l'artiste.
Vue d'atelier, villa Médicis, Rome, 1996.

78. et 79. Jean-Michel Othoniel, *L'Arbre aux colliers*, 2003. Verre de Murano. Dimensions variables. Collection privée. Installation permanente dans le jardin de sculptures du New Orleans Museum of Art, La Nouvelle-Orléans, États-Unis.

C. L. : Il y a des pièces en verre que vous comparez à des sabots-de-Vénus ?

J. M. O. : Oui, les sabots-de-Vénus ce sont des orchidées… Il y a ce rapport floral qui existe dans certaines de mes œuvres du début, c'est un peu l'idée du fruit défendu, donc du fruit, de la fleur, de l'objet qui à la fois est complètement naturel et qui peut être lu comme une référence au corps. Dans *L'Herbier Merveilleux*, je montre que les premières images, avant même la peinture, venaient de la nature, donc les fleurs ont été les premières images. C'est pour cela que l'on a cherché à y voir des choses, des symboles, des histoires, puisque c'était à un moment où l'image ne faisait pas partie de l'univers. De ce fait, la moindre pâquerette était analysée, on trouvait que le rose autour des pétales avait un sens. La véronique en est l'exemple type : les gens ont tellement regardé cette fleur minuscule, qui fait cinq millimètres de diamètre, qu'ils y ont vu la figure du Christ. Ils ont vu le voile de sainte Véronique à l'intérieur de cette petite fleur parce que les deux étamines rappelaient les yeux du Christ. C'est ça qui me plaît dans l'observation de la nature, elle est porteuse d'histoires et aussi d'émerveillement. Les sabots-de-Vénus, c'est la chose la plus lisible, c'est une vraie illustration, c'est l'image mais aussi la forme, ça donne naissance à la sculpture, c'est l'image et la 3D.

C. L. : Et vous en avez tiré un livre, L'Herbier Merveilleux...

J. M. O. : *L'Herbier Merveilleux* est un projet qui est né de vitraux. J'avais envie de refaire un parcours du chemin de croix sur des vitraux abstraits où seules apparaîtraient des fleurs ayant un pouvoir évocateur d'histoires, comme elles l'ont dans la peinture de la Renaissance. Telle fleur rappellerait tel moment, par exemple le coquelicot serait celui de la crucifixion, car c'est le sang tombé de la Croix qui en touchant terre a fait naître le coquelicot. Et en fonction de ces fleurs, on aurait pu suivre le Calvaire puisque chaque fleur choisie raconte une histoire liée à l'histoire sainte. Cette vision m'est venue de cette passion pour les fleurs, de ces notes que j'avais engrangées. En fin de compte ce projet n'a malheureusement pas été réalisé dans une église, mais quand l'éditeur Actes Sud a vu les notes que j'avais prises, il m'a suggéré d'en tirer un livre. Là, le travail a dû être repris de zéro parce que, entre des notes et une publication, il y a un fossé. J'ai dû réécrire toutes ces notes pour qu'elles soient lisibles. Une fois les notes rédigées, je me suis dit qu'il fallait les illustrer, d'où l'idée de photographier moi-même toutes les fleurs que je décrivais. Pendant deux ans, et en tenant compte des saisons, j'ai photographié les fleurs sur lesquelles j'avais écrit en allant dans les pays où elles poussent, par exemple j'ai photographié le cyprès à Istanbul, puisque dans la note je mets cet arbre en rapport avec l'art islamique. Donc j'ai pris les photos en fonction des textes. Ensuite s'est posée la question d'en faire une exposition, de montrer ces textes et ces photographies au public, d'où le projet d'enluminures avec cette idée que le décor autour du texte était lui-même révélateur du sens caché des fleurs, comme dans les manuscrits anciens où l'on trouve d'ailleurs beaucoup de décors floraux. Aujourd'hui, ces sens-là sont un peu perdus, c'est-à-dire que nous, quand nous voyons un tableau avec une ancolie, nous ne faisons pas la différence entre une ancolie rouge et une ancolie bleue, alors que le peintre à l'époque a choisi la couleur en fonction de telle ou telle interprétation. La couleur donnait un sens de lecture, elle faisait que le tableau n'était pas juste une image, elle introduisait une narration dans le temps. Par exemple, quand on observe *La Belle Jardinière* de Raphaël (Louvre), on voit la Vierge avec l'Enfant qui joue dans le jardin en toute innocence, mais dans le pré, on remarque un coquelicot, qui symbolise la Passion et la mort du Christ. En fin de compte, on regarde cette

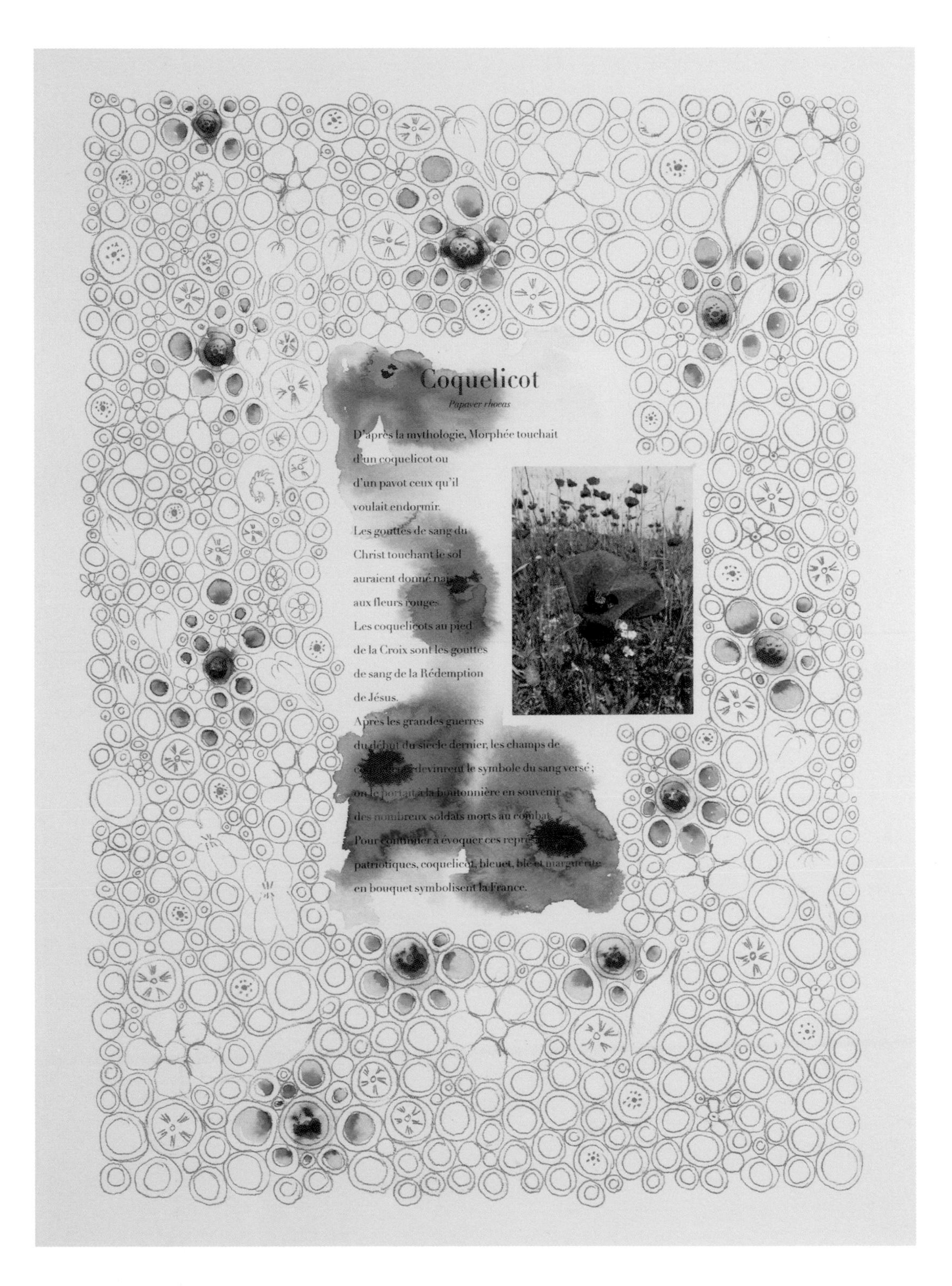

80. Jean-Michel Othoniel, *L'Herbier Merveilleux : Coquelicot*, 2008.
Aquarelle et photographie ; 40,5 x 30,5 cm. Courtesy Galerie Perrotin, Hong Kong & Paris.

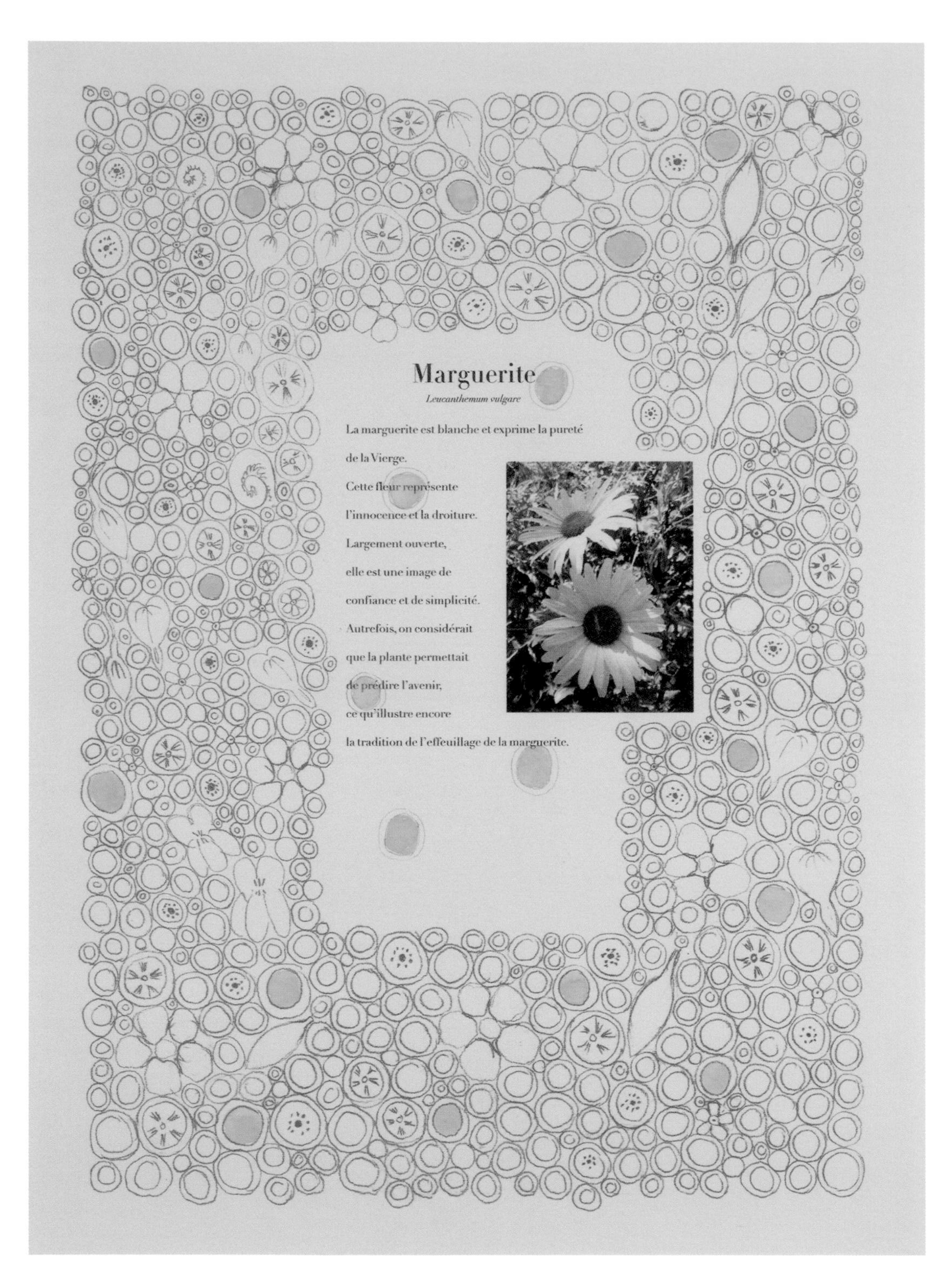

81. Jean-Michel Othoniel, *L'Herbier Merveilleux : Marguerite*, 2008.
Aquarelle et photographie ; 40,5 x 30,5 cm. Courtesy Galerie Perrotin, Hong Kong & Paris.

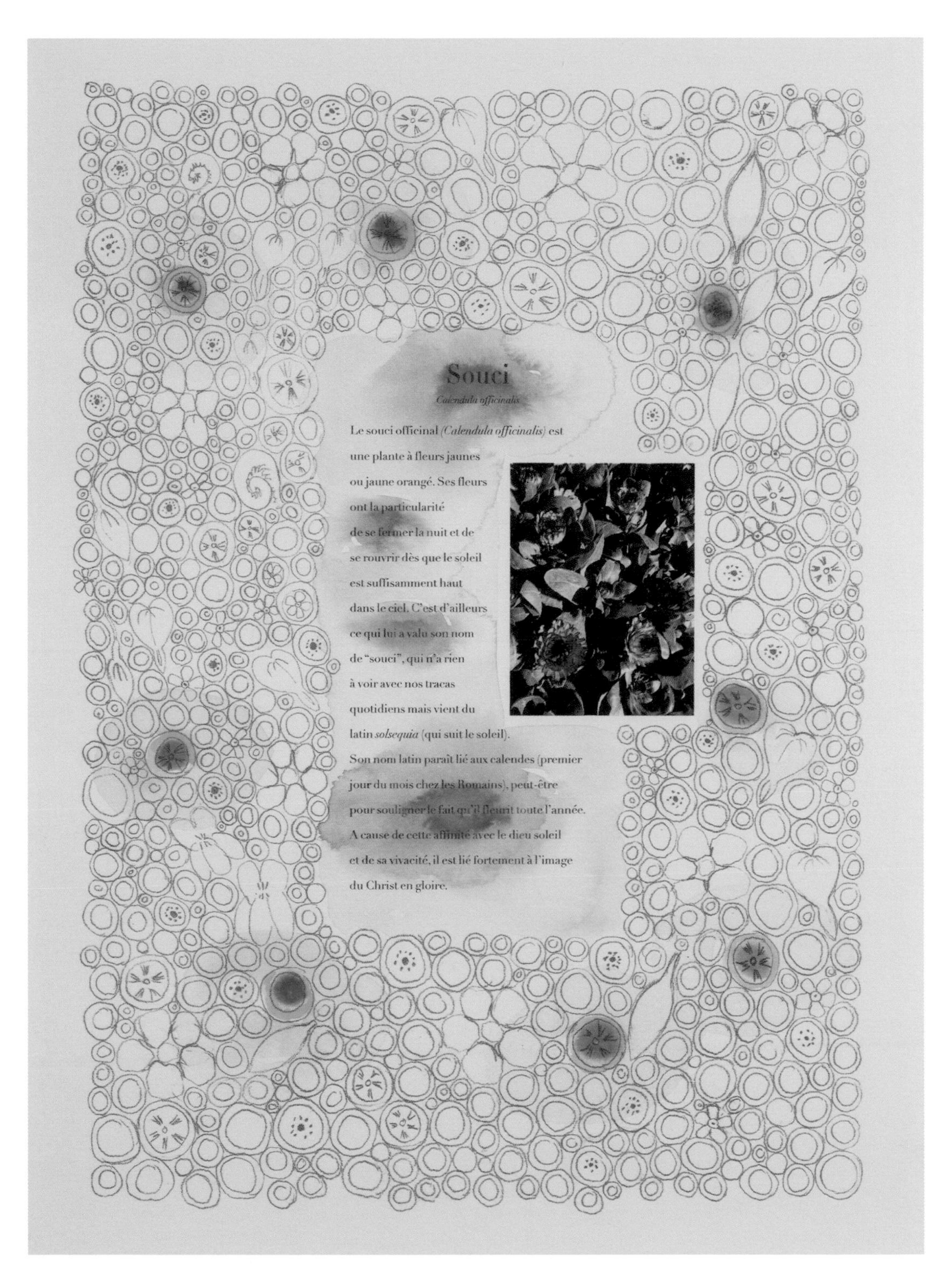

82. Jean-Michel Othoniel, *L'Herbier Merveilleux : Souci*, 2008.
Aquarelle et photographie ; 40,5 x 30,5 cm. Courtesy Galerie Perrotin, Hong Kong & Paris.

83. Jean-Michel Othoniel, *L'Herbier Merveilleux : Iris (violet)*, 2008.
Aquarelle et photographie ; 40,5 x 30,5 cm. Courtesy Galerie Perrotin, Hong Kong & Paris.

peinture comme un film, c'est-à-dire qu'elle n'est plus en deux dimensions, mais elle déroule une histoire dans le temps. C'est une chose que j'ai toujours aimée dans cette symbolique cachée des fleurs, elle fait que le tableau n'est pas juste une image, mais il est aussi une histoire racontée se développant dans le temps. Dans un même tableau, on voit à la fois le début et la fin, depuis Jésus petit Enfant jusqu'à la mort du Christ sur la Croix.

C. L. : Donc les fleurs ce n'est pas que du décoratif ?

J. M. O. : Non, les fleurs ce sont des clés, et des histoires qui peuvent être très fortes, à l'opposé de ce que l'on pourrait imaginer. Le coquelicot en est l'exemple parfait, c'est l'opposé du décoratif puisque c'est la dramaturgie, la fin tragique, le sang du Christ. C'est tout sauf la petite fleurette juste mise là pour décorer, le coquelicot est là pour annoncer la fin terrible.

C. L. : Les fleurs ont d'ailleurs intéressé des peintres aussi cérébraux que Poussin, on pense à son Empire de Flore *(musée de Dresde) inspiré des* Métamorphoses *d'Ovide…*

J. M. O. : Oui, les *Métamorphoses* d'Ovide sont aussi remplies d'histoires de fleurs. Ce que j'aime c'est que c'est en même temps très érudit et très populaire. C'est un émerveillement populaire, c'est-à-dire que, parce qu'ils n'avaient pas d'images, les gens regardaient les choses, ils leur donnaient du sens, ils les mettaient en relation avec leur propre religion ou la mythologie : pourquoi l'anémone… qui est le sang d'Adonis… Il y avait aussi des correspondances avec les saisons, parce que l'apparition de telle fleur à telle saison fait sens par rapport à tel moment religieux, tout cela est lié d'une façon assez simple.

C. L. : Delacroix n'est pas tellement connu pour cela, pourtant il a peint des fleurs qu'il a pensé exposer en 1849. C'est un peintre très pudique qui ne cherche pas à séduire, à faire joli. Finalement, il s'attache beaucoup aux fleurs et à la nature, mais il le montre peu au public.

J. M. O. : Dans l'œuvre de Delacroix autour de laquelle j'ai travaillé pour notre exposition, où un liseron s'enroule autour d'un arbre mort, c'est vraiment un thème qui est décrit dans la tradition picturale et qui parle de mort, de renaissance…

ill. 85

C. L. : C'est un pastel inquiétant…

J. M. O. : C'est vrai que ce pastel est très inquiétant… J'avais rapproché deux tableaux de Delacroix, celui-là et la *Mort d'Ophélie* (Louvre). Dans l'*Ophélie* il y a un arbre auquel elle essaie de se raccrocher et c'est presque ce même arbre qu'il a peint avec le liseron autour, donc il y a ce rapport évident à la mort. Dans le livre, je ne sais plus quel est exactement le texte, mais le liseron qui s'enroule autour d'un arbre mort évoque la Résurrection.

C. L. : On est très loin du style habituel des pastels dans une telle évocation.

J. M. O. : Je trouve que ces tableaux sont très novateurs pour l'époque, dans la façon de peindre, ce côté très plat… ce ne sont pas des fleurs paisibles… on sent un bouillonnement, une tension, une sorte de cacophonie plutôt, c'est peut-être pour ça qu'il n'a finalement pas voulu trop les montrer, parce qu'il y avait trop d'informations, trop de choses qui étaient dites. C'est quand même un peintre d'histoire ; même dans un bouquet de fleurs il y a des histoires, je pense qu'il ne pouvait pas ignorer ça. Pour nous il y a une déperdition de la perception des présences symboliques dans les tableaux, nous avons perdu cette notion-là – je dis nous, le grand public – mais je pense qu'à l'époque de Delacroix c'était encore présent. Autre chose amusante : d'après les descriptions de son jardin que j'ai lues dans son *Journal*, c'était quelqu'un de très à l'écoute de son temps, il plantait des choses nouvelles, qui venaient juste d'arriver en Europe, du Japon notamment, il avait un regard sur les jardins qu'on dirait branché aujourd'hui, ce n'est pas quelqu'un qui cultivait la nostalgie, qui faisait des bouquets comme les générations d'avant, on sent qu'il avait aussi l'envie d'être dans la nouveauté par rapport à ce qu'il plantait, il ne cultivait pas son jardin comme le faisaient ses arrière-grands-parents.

C. L. : Et ça a eu une grande postérité, puisque bien d'autres artistes de la modernité, de Monet à Redon, ont peint des bouquets de fleurs, comme Courbet aussi et d'autres… On s'éloigne vraiment de l'idée de la fleur comme étant un travail décoratif secondaire, plaisant uniquement.

J. M. O. : C'est là où l'on s'éloigne de la période de Napoléon III, où la fleur était très décorative… J'ai découvert cela en allant en résidence au Isabella Stewart Gardner Museum où j'ai vu tous les livres qu'elle avait, parce qu'elle aussi était passionnée de fleurs. Je ne les ai pas tous lus mais au moins j'ai vu quels types de livres elle possédait et comment elle a construit ses collections. Elle s'inspirait beaucoup de ce qui correspond chez nous à la période Napoléon III, c'est-à-dire où, quand on entrait chez les gens, il y avait des cascades de fleurs, des allées de fleurs, des empilements : les fleurs formaient presque une sorte de surface organique, comme un textile vivant recouvrant les murs, et il y en avait à profusion… Elles étaient posées sur des sortes de tréteaux à l'entrée des maisons. C'est assez impressionnant cette façon d'utiliser les fleurs avec des couleurs très fortes, des fleurs lourdes avec des odeurs capiteuses. Et puis parallèlement il y a des fleurs qui ont été largement diffusées à cette période, comme la tanaisie, qu'on appelle l'immortelle : cette petite fleur qu'on faisait sécher était utilisée en souvenir de deuils sous le Second Empire… Il y avait encore une lecture fortement symbolique à cette époque.

C. L. : Et donc au XXIe siècle on a encore droit à la profusion des fleurs ?

J. M. O. : Il y a aujourd'hui un retour au jardin. C'est une chose que l'on pense, aujourd'hui, on le confie à des grands dessinateurs de jardins si on en a les moyens. Cela a peut-être toujours existé dans certaines classes sociales mais je trouve que le jardin en général devient un lieu de plus en plus référencé et porteur d'histoires.

C. L. : Et par ce biais, vous pensez que l'art revient à la beauté ?

J. M. O. : Cette idée de la beauté est très importante dans mon travail. J'avais monté un projet avec des enfants au Centre Pompidou qui s'appelait « Le réel merveilleux », où mon désir était d'arriver à ce que les enfants s'émerveillent du réel et non pas d'un monde complètement abstrait dans lequel ils chercheraient à s'échapper. Je désirais les aider à retrouver l'émerveillement, comme dans le livre *L'Herbier Merveilleux*, devant des fleurs que l'on appelle les simples, ces fleurs que tu trouves le long des chemins et qui ne sont pas des fleurs sophistiquées. Je pense que l'idée de la beauté est liée à l'émerveillement populaire. À travers mon travail, j'essaie de ramener du merveilleux, de l'espoir et de la joie. Aujourd'hui, je dirais que la dernière provocation est peut-être la beauté, dans un monde qui s'écroule, où tous les jours il y a de plus en plus de nouvelles terribles. Le fait de ramener du merveilleux c'est presque un acte politique, c'est ouvrir une toute petite fenêtre… Si j'arrive à faire ça, apporter juste un petit peu d'espoir à travers mon travail, je pense que, dans le monde tel qu'il est, j'accomplis quelque chose d'important, même s'il ne s'agit que d'une petite fenêtre, mais au moins j'essaie de la garder ouverte. Donc je pense qu'aujourd'hui la beauté est subversive, et je crois qu'il faut arriver à maintenir le cap.

C. L. : Donc attirer l'attention chez Delacroix, l'auteur de La Liberté guidant le peuple, *sur son œuvre floral, c'est le rendre plus contemporain ?*

J. M. O. : Déjà c'est montrer comment il a ouvert la porte, comme vous disiez, à d'autres peintres qui se sont engagés grâce à lui dans une vision moins décorative des fleurs, moins molle, plus radicale. Et puis c'est essayer d'orienter le regard contemporain sur Delacroix, c'est-à-dire, à travers les tableaux de fleurs, amener à voir les grandes peintures qui paraissent moins évidentes aujourd'hui parce que porteuses d'histoire, parce qu'un peu lourdes, même si, au niveau de la peinture pure, elles sont très bien peintes et parlent de peinture avant de parler d'histoire... C'est peut-être bien de passer par quelque chose de plus accessible pour amener le public à découvrir les grandes peintures, une sorte de biais...

C. L. : Merci de participer à cet émerveillement.

J. M. O. : Notre projet est différent et pour moi c'est important. Les projets parallèles permettent de se construire et de construire d'autres histoires qui nourrissent le travail. Pour moi ces projets atypiques sont souvent les plus fondateurs, ce sont ceux qui me permettent de m'ancrer vraiment dans une recherche. Par exemple, ce projet de *L'Herbier Merveilleux* aurait pu paraître périphérique, en réalité il ne l'a pas été du tout car il m'a permis de recentrer ma pensée sur cette idée d'émerveillement, de merveilleux, de contemplation populaire... Donc mon intervention précise au sein de l'atelier de Delacroix avec deux pièces réalisées en dialogue avec des œuvres choisies, les dessins préparatoires, les cinquante histoires de fleurs enluminées au mur comptent énormément pour moi. Ce n'est pas parce que c'est un projet discret qu'il n'est pas important, il montre que les formes de nœuds qui se développent dans mon travail en ce moment viennent aussi de cette passion pour les formes végétales. C'est aussi une manière de dire aux artistes plus jeunes que l'important c'est de continuer à proposer de nouvelles idées, de nouveaux dialogues, d'intervenir à l'endroit où l'on ne nous attend pas...

84. Jean-Michel Othoniel, *L'Herbier Merveilleux : Liseron*, 2008.
Aquarelle et photographie ; 40,5 x 30,5 cm. Courtesy Galerie Perrotin, Hong Kong & Paris.

85. Eugène Delacroix, *Feuillages et liserons en arceaux*, vers 1848-1849. Pastel ; 30,6 x 45,7 cm. New York, The Metropolitan Museum of Art, legs de Miss Adelaide Milton de Groot (67.187.4).

86. Jean-Michel Othoniel, *Sans titre (Convolvulus)*, 2012.
Aquarelle ; 23 x 31 cm. Courtesy Galerie Perrotin, Hong Kong & Paris.

87. Jean-Michel Othoniel, *Sans titre*, 2012.
Aquarelle ; 23 x 31 cm. Courtesy Galerie Perrotin, Hong Kong & Paris.

88. Jean-Michel Othoniel,
Nœud miroir, vert, 2012.
Verre miroité, inox ; 180 x 205 x 130 cm.
Courtesy Galerie Perrotin, Hong Kong & Paris.

89. Eugène Delacroix, *Étude d'anémones*, vers 1845-1850. Aquarelle sur traits de graphite ; 20,9 x 16,4 cm. Collection privée.

90. Jean-Michel Othoniel, *L'Herbier Merveilleux : Anémone*, 2008.
Aquarelle et photographie ; 40,5 x 30,5 cm. Courtesy Galerie Perrotin, Hong Kong & Paris.

91. Jean-Michel Othoniel, *Sans titre (Renonculacée)*, 2012.
Aquarelle ; 23 x 31 cm. Courtesy Galerie Perrotin, Hong Kong & Paris.

92. Jean-Michel Othoniel, *Nœud miroir, rouge et noir*, 2012.
Verre miroité, inox ; 70 x 40 x 70 cm. Collection privée.

Document

« J'ai vu Eugène Delacroix essayer pour la première fois de peindre des fleurs. Il avait étudié la botanique dans son enfance, et, comme il avait une admirable mémoire, il la savait encore; mais elle ne l'avait pas frappé en tant qu'artiste, et le sens ne lui en fut révélé que lorsqu'il reproduisit attentivement la couleur et la forme de la plante. Je le surpris dans une extase de ravissement devant un lis jaune dont il venait de comprendre la belle *architecture*, c'est le mot heureux dont il se servit. Il se hâtait de peindre, voyant qu'à chaque instant son modèle, accomplissant dans l'eau l'ensemble de sa floraison, changeait de ton et d'attitude. Il pensait avoir fini, et le résultat était merveilleux; mais le lendemain, lorsqu'il compara l'art à la nature, il fut mécontent et retoucha. Le lis avait complètement changé. Les lobes du périanthe s'étaient recourbés en dehors, le ton des étamines avait pâli, celui de la fleur s'était accusé, le jaune d'or était devenu orangé, la hampe était plus ferme et plus droite, les feuilles plus serrées contre la tige, semblaient plus étroites. C'était encore une harmonie, ce n'était plus la même. Le jour suivant, la plante était belle tout autrement. Elle devenait de plus en plus *architecturale*. La fleur se séchait et montrait ses organes plus développés; ses formes devenaient *géométriques*, c'est encore lui qui parle. Il voyait le squelette se dessiner, et la beauté du squelette le charmait. Il fallut le lui arracher pour qu'il ne fît pas, d'une étude de plante à l'état splendide de l'anthèse, une étude de plante en herbier.
Il me demanda alors à voir des plantes séchées, et il s'énamoura de ces silhouettes déliées et charmantes que conservent beaucoup d'espèces. Les raccourcis que la pression supprime, mais que la logique de l'œil rétablit, le frappaient particulièrement. "Les plantes d'herbier, disait-il, c'est la grâce dans la mort." »

George Sand, « Lettres d'un voyageur, à propos de botanique », deuxième lettre, 20 avril 1868, *Revue des deux mondes*, Paris, 1868, vol. 75, p. 577-578.

93. Eugène Delacroix, *Étude de fleurs : soucis, hortensias et reines-marguerites*. Aquarelle et gouache sur traits de graphite ; 25 x 20 cm. Musée du Louvre, département des Arts graphiques (RF 3441).

Bibliographie

Baudelaire, *Œuvres complètes*
Charles Baudelaire, *Œuvres complètes*, Claude Pichois (éd.), 2 vol., Paris, Gallimard, [Bibliothèque de la Pléiade], 1976.

Bergeret, 2011
Jean Bergeret, « Riesener-Delacroix, une relation à approfondir », *Bulletin de la Société des amis du musée national Eugène-Delacroix* n° 9 (2011), 55-68.

Clark, 1973
T.J. Clark, *The Absolute Bourgeois. Artists and Politics in France 1848-1851*, Londres, Thames and Hudson, 1973.

Delacroix, *Correspondance*
Eugène Delacroix, *Correspondance générale*, André Joubin (éd.), 5 vol., Paris, Plon, 1935-1938.

Delacroix, *Journal*
Eugène Delacroix, Journal, nouvelle édition intégrale établie par Michèle Hannoosh, 2 vol., Paris, José Corti, 2009.

Dumas, 1954-1968
Alexandre Dumas, *Mes mémoires*, Pierre Josserand (éd.), 5 vol., Paris, Gallimard, 1954-1968.

Field, 1977
Richard S. Field, *Paul Gauguin. The Paintings of the First Voyage to Tahiti*, New York, Garland Publishing, 1977.

Hannoosh, 1995
Michèle Hannoosh, *Painting and the Journal of Eugène Delacroix*, Princeton, Princeton University Press, 1995.

Ives *et al.*, 1997
The Private Collection of Edgar Degas. A Summary Catalogue, Colta Ives *et al.* (éd.), New York, The Metropolitan Museum of Art, 1997.

Johnson, 1995
Lee Johnson, *Delacroix. Pastels*, Londres, John Murray, 1995.

Johnson, 1982-2002
Lee Johnson, *Eugène Delacroix. A Critical Catalogue*, 7 vol., Oxford, Clarendon Press, 1982-2002.

Kearns, 2007a
James Kearns, *Théophile Gautier, Orator to the Artists. Art Journalism of the Second Republic*, Legenda, Leeds, 2007.

Kearns, 2007b
James Kearns, « From Store to Museum : The Reorganization of the Louvre's Painting Collections in 1848 », *The Modern Language Review*, janvier 2007, vol. CII, n° 1, p. 58-73.

Marcadé et Sabourin, 2004
Bernard Marcadé et Yves Sabourin, *Le Petit Théâtre de Peau d'Âne, Pierre Loti/Jean-Michel Othoniel*, Rochefort-sur-Mer, Mairie, 2004.

Othoniel, 2008
Jean-Michel Othoniel, Association du Méjan, *L'Herbier Merveilleux. Notes sur le sens caché des fleurs dans la peinture*, Arles, Actes Sud, 2008.

Robaut, 1885
Alfred Robaut, avec la collaboration d'Ernest Chesneau et Fernand Calmettes, *L'Œuvre complet d'Eugène Delacroix, peintures, dessins, gravures, lithographies*, Paris, Charavay Frères, 1885.

Sérullaz *et al.*, 1984
Maurice Sérullaz *et al.*, *Musée du Louvre, Cabinet des Dessins, Inventaire général des dessins. École française. Dessins d'Eugène Delacroix*, 2 vol., Paris, Réunion des Musées Nationaux, 1984.

Silvestre, 1864
Théophile Silvestre, *Eugène Delacroix. Documents nouveaux*, Paris, Michel Lévy Frères, 1864.

Ternois, 1965
Daniel Ternois, « Un tableau de fleurs d'Eugène Delacroix. *Le Vase à la console* », *La Revue du Louvre et des musées de France* XV (1965), n° 4-5, p. 233-236.

Trapp, 1971
Frank Anderson Trapp, *The Attainment of Delacroix*, Baltimore, Johns Hopkins Press, 1971.

Expositions

Chareil-Cintrat et Le Puy-en-Velay, 1994-1995
Johan Creten. La Mort d'Adonis (château de Chareil-Cintrat [Auvergne], 1994 ; Le Puy-en-Velay, musée Crozatier, 1995), cat. exp., Clermont-Ferrand, 1994.

Karlsruhe, 2003-2004
Eugène Delacroix. Sonderausstellung des Landes Baden-Württemberg (Karlsruhe, Staatliche Kunsthalle, 2003-2004), cat. exp. par Jessica Mack-Andrick *et al.*, Heidelberg, Kehrer, 2003.

Louvain, 1990
L'Œil de l'antiquaire, cat. exp., Louvain, galerie Transit, 1990.

Madrid et Barcelone, 2011
Delacroix. De l'idée à l'expression (1798-1863) (Madrid et Barcelone, Obra Social « la Caixa », 2011), cat. exp. par Sébastien Allard *et al.*, Madrid, 2011.

New York, 1998
Johan Creten. Odore di Femmina, New York, galerie Robert Miller, 1998.

Nice, La Seyne-sur-Mer et Berlin, 1993-1994
Johan Creten (Nice, galerie de la villa Arson, 1993 ; La Seyne-sur-Mer, galerie La Tête d'Obsidienne, 1994 ; Berlin, galerie Hesselbach, 1994), cat. exp. par Catherine Macchi, Nice, villa Arson, 1994.

Paris, 1988
Kunstkamer. Johan Creten. Installation and performance, Paris, galerie Meyer, 1988.

Paris, 1994
Les Oubliés du Caire. Chefs-d'œuvre des musées du Caire (Paris, musée d'Orsay, 1994- 1995), cat. exp. par Geneviève Lacambre, Paris, Réunion des Musées Nationaux, 1994.

Paris et Philadelphie, 1998-1999
Delacroix. Les dernières années (Paris, Galeries nationales du Grand Palais, 1998 ; Philadelphie, Philadelphia Museum of Art, 1998-1999), cat. exp. sous la direction d'Arlette Sérullaz et Vincent Pomarède, Paris, Réunion des Musées Nationaux, 1998.

Paris, 2004-2005
Contrepoint. L'art contemporain au Louvre (Paris, musée du Louvre, 2004-2005), par Marie-Laure Bernadac in *Connaissance des Arts* (hors-série), 2004.

Paris et Genève, 2006-2007
Suite française, dessins de la collection Jean Bonna (Paris, École nationale supérieure des beaux-arts, 2006 ; Genève, musée d'Art et d'Histoire, 2006-2007), Paris, ENSBA, 2006.

Paris et Sèvres, 2008
Johan Creten. Sculptures (Paris, musée de la Chasse et de la Nature, 2008 ; Sèvres, galerie de la Manufacture nationale de Sèvres, 2008), cat. exp. par Nathalie Viot et Chantal Pontbriand, Paris, 2008.

Paris, Séoul, Tokyo, Macao et New York, 2011-2012
Othoniel (exposition *My Way*, Paris, Centre Georges Pompidou, 2011 ; Séoul, Leeum, Samsung Museum of Art, 2011 ; Tokyo, Hara Museum of Contemporary Art, 2011 ; Macao, Macao Museum of Art, 2012 ; New York, Brooklyn Museum, 2012), cat exp. sous la direction de Catherine Grenier, Paris, Centre Georges Pompidou, 2010.

Sète, 1991
Johan Creten. En quarantaine, installation (Sète, Villa Saint-Clair, 1991), Sète, Brise-Lames, 1991.

Liste des œuvres exposées

Eugène Delacroix (1798-1863)

Eugène Delacroix, *Étude de deux iris et d'un crâne.* Aquarelle sur traits de graphite ; 13,7 x 9,5 cm. Musée du Louvre, département des Arts graphiques (carnet, RF 9153, f° 24v). [ill. 52]

Eugène Delacroix, *Deux études d'iris.* Graphite ; 19,4 x 9 cm. Musée du Louvre, département des Arts graphiques (RF 9814). [ill. 21]

Eugène Delacroix, *Quatre études de branches de lys.* Graphite ; 19,5 x 28,5 cm. Marque de la vente Delacroix en bas à gauche (Lugt 838a). Musée du Louvre, département des Arts graphiques (RF 9802). [ill. 20]

Eugène Delacroix, *Étude de bouquet de fleurs.* Aquarelle et crayons de couleur ; 12 x 19 cm. Musée du Louvre, département des Arts graphiques (carnet, RF 23358-12, f° 6r). [ill. 18]

Eugène Delacroix, *Vase de fleurs*, 1833. Huile sur toile ; 57,7 x 48,8 cm. S.d.b.g. : « Eug. Delacroix / 1833 ». Édimbourg, Scottish National Gallery (NG 24405). [ill. 19]

Eugène Delacroix, *Étude de fleurs avec une branche de fuchsias.* Aquarelle sur traits de graphite ; 15 x 19,6 cm. Au recto, inscription en haut à droite : « boutons » ; marque de la vente Delacroix en bas au centre (Lugt 838a). Musée du Louvre, département des Arts graphiques (RF 9803, recto et verso). [ill. 22, 23]

Eugène Delacroix, *Étude de fleurs.* Aquarelle sur traits de graphite ; 15,5 x 19,8 cm. Inscription à gauche « Rose pâle / ou amarante / gueule de loup ». Marque de la vente Delacroix en bas au centre (Lugt 838a). Collection privée. [ill. 24]

Eugène Delacroix, *Parterre d'hortensias, agapanthes et anémones.* Aquarelle sur traits de graphite ; 18,7 x 29,6 cm. Annotations en bas au centre : « feuilles d'hortentia jaunes, les autres sur le devant plus foncé » ; marque de la vente Delacroix en bas à droite (Lugt 838a). Musée du Louvre, département des Arts graphiques (RF 4508). [ill. 12]

Eugène Delacroix, *Étude d'asters et balsamine.* Huile sur toile ; 73,5 x 92,5 cm. Zurich, Kunsthaus (Inv. 2298). [ill. 25]

Eugène Delacroix, *Éducation de la Vierge*, 1842. Huile sur toile ; 95 x 125 cm. S.d.b.g. : « Eug. Delacroix 1842 ». Musée national Eugène-Delacroix (MD 2003-8). [ill. 28]

Eugène Delacroix, *Étude pour l'*Éducation de la Vierge, 1853. Graphite ; 12 x 18,5 cm. Daté en bas à droite : « 53 » ; marque de la vente Delacroix en bas à droite (Lugt 838a). Musée du Louvre, département des Arts graphiques (RF 9494). [ill. 30]

Eugène Delacroix, *Bouquet de fleurs dans un vase*, 1843. Huile sur toile ; 74 x 92 cm. Vienne, Österreichische Galerie Belvedere (NG 74). [ill. 26]

Eugène Delacroix, *Étude d'anémones*, vers 1845-1850. Aquarelle sur traits de graphite ; 20,9 x 16,4 cm. Marque de la vente Delacroix en bas à gauche (Lugt 838a). Collection privée. [ill. 3 et 89]

Eugène Delacroix, *Pavot, pensée et anémone*, vers 1845-1850. Aquarelle sur traits de graphite ; 31 x 20,9 cm. Marque de la vente Delacroix en bas à droite (Lugt 838a). Musée national Eugène-Delacroix (MD 1980-1). [ill. 72]

Eugène Delacroix, *Corbeille de fleurs*, vers 1848-1849. Huile sur papier marouflé sur toile ; 62 x 87 cm. S.b.d. : « Eug. Delacroix ». Lille, Palais des Beaux-Arts (inv. 563). [ill. 27]

Eugène Delacroix, *Bouquet de fleurs*. Aquarelle, gouache et pastel sur traits de graphite ; 65 x 65,4 cm. Musée du Louvre, département des Arts graphiques (RF 31719). [ill. 9 et 65]

Eugène Delacroix, *Étude de fleurs : soucis et roses d'Inde*, 1848. Graphite ; 25,5 x 38 cm. Inscriptions : en haut à droite, « rose d'Indes » (3 fois) ; au centre, « souci » (2 fois) ; en bas à droite : « 13 ~~oct~~ nov. 1848 » ; marques de la vente Delacroix (Lugt 838a) et de la collection Prat (Lugt 3617) en bas à droite. Paris, collection Prat. [ill. 49]

Eugène Delacroix, *Étude de fleurs : jasmin de Virginie*, vers 1848-1849. Graphite ; 26 x 39,5 cm. *Annotation en bas à gauche : « Pétales rouges très foncés* [...] */ le tube qui le porte rouge jaunissant seulement / vers le calice »* ; marque de la vente Delacroix en bas à droite (Lugt 838a). New York, Jill Newhouse Gallery. [ill. 50]

Eugène Delacroix, *Feuillages et liserons en arceaux*, vers 1848-1849. Pastel ; 30,6 x 45,7 cm. New York, The Metropolitan Museum of Art (legs de Miss Adelaide Milton de Groot, 67.187.4). [ill. 85]

Eugène Delacroix, *Étude de fleurs : marguerites blanches et zinnias.* Aquarelle et gouache sur traits de graphite ; 25 x 20 cm. Marque de la vente Delacroix en bas à droite (Lugt 838a). Musée du Louvre, département des Arts graphiques (RF 3440). [ill. 48]

Eugène Delacroix, *Étude de fleurs : soucis, hortensias et reines-marguerites.* Aquarelle et gouache sur traits de graphite ; 25 x 20 cm. Musée du Louvre, département des Arts graphiques (RF 3441). [ill. 93]

Eugène Delacroix, *Vase de fleurs sur une console*, 1848-1850. Huile sur toile ; 135 x 102 cm. Montauban, musée Ingres (dépôt du Louvre, MNR 162 ; D. 51.3.2). [ill. 5]

Eugène Delacroix, *Jardin de la maison de l'artiste à Champrosay*, 1853. Pastel ; 28,7 x 23,4 cm. S.d.b.d. : « donné à Jenny Leguillou / Le 18 mai 1853 à / Champrosay. Eug. Delacroix ». Musée du Louvre, département des Arts graphiques (RF 32270). [ill. 44]

Frédéric Bazille (1841-1870)

Frédéric Bazille, *Bouquet de fleurs sur une console*, 1868. Huile sur toile ; 130 x 97 cm. S.d.b. au centre : « F. Bazille 1868 ». Grenoble, musée de Grenoble (MG2911). [ill. 6]

Jean-Michel Othoniel (né en 1964)

Jean-Michel Othoniel, *Sans titre,* 2012. Aquarelle ; 23 x 31 cm. Courtesy Galerie Perrotin, Hong Kong & Paris. [ill. 87]

Jean-Michel Othoniel, *Sans titre (Convolvulus)*, 2012. Aquarelle ; 23 x 31 cm. Courtesy Galerie Perrotin, Hong Kong & Paris. [ill. 86]

Jean-Michel Othoniel, *Nœud miroir, vert*, 2012. Verre miroité, inox ; 180 x 205 x 130 cm. Courtesy Galerie Perrotin, Hong Kong & Paris. [ill. 88]

Jean-Michel Othoniel, *Sans titre (Renonculacée)*, 2012. Aquarelle ; 23 x 31 cm. Courtesy Galerie Perrotin, Hong Kong & Paris. [ill. 91]

Jean-Michel Othoniel, *Noeud miroir, rouge et noir*, 2012. Verre miroité, inox ; 70 x 40 x 70 cm. Collection privée. [ill. 4 et 92]

Jean-Michel Othoniel, *L'Herbier Merveilleux : Anémone*, 2008. Aquarelle et photographie ; 40,5 x 30,5 cm. Courtesy Galerie Perrotin, Hong Kong & Paris. [ill. 90]

Idem, *Aubépine*, *Blé*, *Bleuet*, *Buis*, *Chêne*, *Cœur de Marie*, *Coquelicot* [ill. 80], *Cyprès, Figuier*, *Fougère mâle*, *Fraisier*, *Fuchsia*, *Glycine*, *Iris (violet)* [ill. 83], *Jasmin*, *Laurier*, *Laurier rose*, *Lierre*, *Liseron* [ill. 84], *Marguerite* [ill. 81], *Muguet*, *Myosotis*, *Œillet*, *Pâquerette*, *Pêcher (fruit)*, *Pensée*, *Perce-Neige*, *Pivoine*, *Primevère Officinale*, *Prunier*, *Pulmonaire*, *Renouée*, *Rose*, *Rose (pourpre)*, *Soucis* [ill. 82], *Tanaisie*, *Tournesol*, *Tulipe*, *Vigne*, *Violette*, *Fleur d'Oranger / Oranger*.

Johan Creten (né en 1963)

Johan Creten, *La Vulve Grotesque*, 2005-2012. Grès émaillé ; 35 x 25 x 9 cm. Collection privée. Courtesy Johan Creten et Galerie Perrotin, Hong Kong & Paris. [ill. 53]

Johan Creten, *Vulve de roses – Odore di Femmina de Sèvres*, 2005. Biscuit de porcelaine de Sèvres ; 30 x 19 x 5 cm. Collection privée. Courtesy Johan Creten. [ill. 54]

Johan Creten, *Génie*, 2009-2010. Bronze patiné, fonte à la cire perdue ; 212 x 69 x 48 cm. Courtesy Johan Creten et Galerie Perrotin, Hong Kong & Paris. [ill. 59]

Johan Creten, *Odore di Femmina – Russian White*, 2012. Grès émaillé ; 75 x 40 x 38 cm. Courtesy Johan Creten et Galerie Perrotin, Hong Kong & Paris. [ill. 56, 57 et 58]

Johan Creten, *Odore di Femmina – Ecto*, 2012. Bronze, fonte à la cire perdue, soudé et patiné ; 1,30 x 0,85 x 0,35 m. Courtesy Johan Creten et Galerie Perrotin, Hong Kong & Paris.

Johan Creten, *Wallflowers IV – Fire-Works on a Dark Sky*, 2012. Grès émaillé, lustres colorés et or ; 97 x 74 x 25 cm. Courtesy Johan Creten et Galerie Perrotin, Hong Kong & Paris. [ill. 64, 66 et 67]

Johan Creten, *Wallflowers V – Herfst*, 2012. Grès émaillé, lustres or ; 100 x 75 x 25 cm. Courtesy Johan Creten et Galerie Perrotin, Hong Kong & Paris. [ill. 70 et 71]

Remerciements

L'exposition n'aurait pu avoir lieu sans la confiance d'Henri Loyrette qui a accepté d'emblée ce projet, celles de Johan Creten et de Jean-Michel Othoniel dont la participation active à l'entreprise a dépassé mes espérances, et celle de Naoya Kinoshita dont la compagnie, Kinoshita Holdings Co., Ltd, a entièrement mécéné la rénovation du jardin et généreusement soutenu l'exposition qui l'accompagne.

Que soient chaleureusement remerciés les prêteurs qui ont rendu cet événement possible : Jill Newhouse, Louis-Antoine et Véronique Prat, les collectionneurs qui ont préféré garder l'anonymat et les responsables des institutions suivantes :
À la Scottish National Gallery d'Édimbourg : Michael Clark ; au musée de Grenoble : Guy Tosatto, Valérie Lagier et Isabelle Varloteaux ; au Palais des Beaux-Arts de Lille : Alain Tapié et Annie Scottez-De Wambrechies ; au musée Ingres de Montauban : Florence Viguier-Dutheil ; au Metropolitan Museum of Art de New York : Dr Thomas P. Campbell et George R. Goldner ; au musée du Louvre, département des Arts graphiques : Carel van Tuyll van Serooskerken, Cécile Breffeil-Ducrot, Valérie Corvino, Valentine Dubard et Marie-Pierre Salé ; à l'Österreichische Galerie Belvedere de Vienne : Dr Agnes Husslein-Arco ; au Kunsthaus de Zurich : Dr Christoph Becker. Enfin, la Galerie Perrotin à Hong Kong & Paris qui a répondu à toutes nos sollicitations pour assurer le succès de la partie contemporaine de l'exposition.

S'agissant du catalogue, c'est un honneur que Michèle Hannoosh, professeur à l'Université du Michigan et éminente spécialiste de Delacroix, ainsi que Stéphane Guégan, conservateur au musée d'Orsay, aient accepté de contribuer à cet ouvrage.

Nous tenons également à souligner le rôle primordial pour l'organisation de l'exposition des personnes suivantes : Juliette Ballif, qui au service des expositions du musée du Louvre a assuré avec patience et optimisme tout le suivi du projet ; au service des travaux muséographiques : Robert Font, Frédéric Poincelet, Fabienne Seillier, Muriel Suir, Stéphanie de Vomécourt, les ateliers de menuiserie, encadrement, peinture et éclairage, ainsi que l'équipe des installateurs du Louvre ; au service du mécénat, Christophe Monin, Thibaut Bruttin, Yukiko Kamijima, Masami Sakai ; aux American Friends of the Louvre : Sue Devine et Patricia Kim ; au service de la communication : Coralie James et Laurence Roussel ; au service des éditions du Louvre : Violaine Bouvet-Lanselle, Catherine Dupont qui a suivi l'ouvrage avec sa vaillance habituelle tout comme Virginie Fabre pour l'iconographie ; aux éditions Le Passage : Marike Gauthier, Yann Briand et Barthélemy Chapelet, auteur de l'élégante maquette du catalogue réalisée dans des délais records ; au studio Othoniel : Géraldine Dufournet ; au studio Creten : Martin Giraud ; au musée Delacroix, Catherine Adam-Sigas, Norrudine Kaly et Marie-Christine Mégevand.

Nous avons également bénéficié des conseils amicaux de Louis et Patrick de Bayser, Christopher Forbes, Françoise Heilbrun, Barthélémy Jobert, Vincent Pomarède, Joseph J. Rishel, Anne Robbins, Jean-Marc Terrasse, Linda Whiteley et, comme toujours, du soutien sans faille de Bénédicte Gady.

Il convient d'associer à ces remerciements Pierre Bonnaure et Sébastien Ciret qui ont assumé, parallèlement à leurs responsabilités au jardin des Tuileries, la lourde tâche de la rénovation du jardin du musée Delacroix, inauguré le même jour que l'exposition. Leur engagement exceptionnel a permis de redonner tout son lustre au jardin du musée qui sera désormais une des pièces maîtresses de la visite.

Enfin, Dominique de Font-Réaulx, mon successeur au musée Delacroix, m'a laissé toute liberté pour mener ce projet jusqu'à son terme. Cette dernière exposition est l'occasion pour moi de saluer chaleureusement l'ensemble du personnel du musée et des membres du Conseil de la Société des Amis du musée Delacroix pour leur collaboration active au fil de ces six années marquées par tant de transformations qu'ils ont su toujours accompagner avec bienveillance.

Christophe Leribault

Crédits photographiques

Amsterdam
© Rijksmuseum : 13, 14

Brême
© Kunsthalle-Der Kunstverein in Bremen / Karen Blindow : 16
© Kunsthalle-Der Kunstverein in Bremen / Lars Lohrisch : 11, 46

Dublin
© Courtesy of the National Gallery of Ireland : 39

Édimbourg
© Scottish National Gallery : 19

Florence
© 2012. Foto Scala, Firenze : 10
© 2012. Wadsworth Atheneum Museum of Art / Art Resource, NY / Scala, Firenze : 35

Genève
© Collection Jean Bonna / Patrick Goetelen : 2

Grenoble
© Musée de Grenoble : 6

La Nouvelle-Orléans
© New Orleans Museum of Art : 78, 79

Montauban
© Musée Ingres / Guy Roumagnac : 5

Montpellier
© Musée Fabre de Montpellier Agglomération : 47

New York
© Courtesy Gallery Jill Newhouse : 50

Paris
© Javier Algarra : 74, 75
© Collection particulière : 49
© Courtesy Johan Creten : 54, 63
© Courtesy Johan Creten et Galerie Perrotin, Hong Kong & Paris : 53, 55, 56, 57, 58, 59, 60, 61, 64, 66, 67, 68, 69, 70, 71
© Courtesy Johan Creten et Galerie Almine Rech : 62
© David Fugère, Courtesy Galerie Perrotin, Hong Kong & Paris : 73
© Daniel Infanger, Courtesy Galerie Perrotin, Hong Kong & Paris : 4, 92
© INHA, Dist. RMN-Grand Palais / Martine Beck-Coppola : 33
© Musée du Louvre / Département des arts graphiques : 23
© Musée du Louvre / Martine Beck-Coppola, Courtesy Galerie Perrotin, Hong Kong & Paris : 80, 81, 82, 83, 84, 86, 87, 90, 91
© Musée du Louvre, Dist. RMN-Grand Palais / Philippe Fuzeau : 42
© Jean-Michel Othoniel : 76, 77
© Simulation Othoniel Studio : 88
© RMN-Grand Palais / Agence Bulloz : 37
© RMN-Grand Palais / René-Gabriel Ojéda : 27
© RMN-Grand Palais (Musée d'Orsay) / Hervé Lewandowski : 8, 34
© RMN-Grand Palais (Musée du Louvre) / Droits réservés : 43, 44
© RMN-Grand Palais (Musée du Louvre) / Michèle Bellot : 9, 22, 48, 52, 65
© RMN-Grand Palais (Musée du Louvre) / Jean-Gilles Berizzi : 12, 28, 72, 93
© RMN-Grand Palais (Musée du Louvre) / Adrien Didierjean : 18, 20, 21
© RMN-Grand Palais (Musée du Louvre) / Michel Urtado : 30
© Sebert : 3, 24, 89

Paris / Londres
© The National Gallery, Londres, Dist. RMN-Grand Palais / National Gallery Photographic Department : 38

Paris / New York
© The Metropolitan Museum of Art, Dist. RMN-GP / image of the MMA : 32, 41, 51, 85

Philadelphie
© Philadelphia Museum of Art : 7, 31, 45

Saint-Pétersbourg
© Musée de l'Ermitage : 40

São Paulo
© MASP, Museu de Arte de São Paulo Assis Chateaubriand / João Musa : 36

Tokyo
© Musée National d'art occidental : 29

Vienne
© Belvédère, Vienne : Couverture, 26
© Erich Lessing : 1

Zurich
© 2012 Kunsthaus Zürich. Tous droits réservés : 17, 25

Droits d'auteur
© Adagp, Paris 2012 : 4, 53, 54, 55, 56, 57, 58, 59, 60, 61, 62, 63, 64, 66, 67, 68, 69, 70, 71, 73, 74, 75, 76, 77, 78, 79, 80, 81, 82, 83, 84, 86, 87, 88, 90, 91, 92

Photogravure : Fotimprim, Paris
Achevé d'imprimer sur les presses de l'imprimerie Petruzzi à Città di Castello (Italie) en décembre 2012
Imprimé en Italie